BLOND HAAR, BLAUWE OGEN

KARIN SLAUGHTER

BLOND HAAR, BLAUWE OGEN

Vertaling Erica Disco

HarperCollins

Voor het papieren boek is papier gebruikt dat onafhankelijk is gecertificeerd door FSC®
om verantwoord bosbeheer te waarborgen.
Kijk voor meer informatie op www.harpercollins.co.uk/green

HarperCollins is een imprint van Uitgeverij HarperCollins Holland, Amsterdam.

Copyright © 2015 Karin Slaughter
Oorspronkelijke titel: *Blonde Hair, Blue Eyes*
Copyright Nederlandse vertaling: © 2024 HarperCollins Holland
Vertaling: Erica Disco
Omslagontwerp: Buro Blikgoed
Omslagbeeld: © Mark Owen / Arcangel Images
Foto auteur: © Alison Rosa
Zetwerk: Mat-Zet B.V., Huizen
Druk: ScandBook UAB, Lithuania, met gebruik van 100% groene stroom

ISBN 978 94 027 1581 1
NUR 305
Eerste druk juni 2024

Originele uitgave verschenen bij Witness Impulse, een imprint van HarperCollins Publishers
LLC, New York, U.S.A.
HarperCollins Holland is een divisie van Harlequin Enterprises ULC.
® en ™ zijn handelsmerken die eigendom zijn van en gebruikt worden door de eigenaar van
het handelsmerk en/of de licentienemer. Handelsmerken met ® zijn geregistreerd bij het
United States Patent & Trademark Office en/of in andere landen.

www.harpercollins.nl

Maandag 4 maart 1991
7.26 uur – North Lumpkin Street, Athens, Georgia

De ochtendnevel hing nog over de straten van het centrum en wierp ingewikkelde spinragpatronen op de slaapzakken op de stoep buiten het Georgia Theater. Hoewel de deuren op zijn vroegst pas over twaalf uur zouden opengaan, waren de Phish-fans vastbesloten om een plekje op de voorste rij te bemachtigen. Twee gezette jongemannen zaten op plastic tuinstoelen voor de met een ketting afgesloten voordeur. Aan hun voeten lagen lege bierblikjes, sigarettenpeuken en een leeg boterhamzakje waar waarschijnlijk een flinke hoeveelheid wiet in gezeten had.

Hun ogen waren gericht op Julia Carroll, die verderop over straat liep.

Ze was zich net zo bewust van hun starende blikken als van de mist om haar heen. In eerste instantie bleef ze hardnekkig voor zich uit kijken en hield ze haar rug recht, tot ze zich afvroeg of ze daardoor misschien kil en hooghartig overkwam. Uiteindelijk sloeg de ergernis toe, want wat kon het haar eigenlijk schelen hoe ze eruitzag in de ogen van twee volslagen onbekende jongens?

Vroeger was ze nooit zo paranoïde geweest.

Athens was een studentenstad, opgebouwd rondom de University of Georgia, die meer dan driehonderd hectare in beslag nam en werkgelegenheid bood aan de helft van de inwoners van het gebied. Julia was hier opgegroeid. Ze studeerde journalistiek en werkte als verslaggever voor de universiteitskrant. Haar vader was hoogleraar op de faculteit Diergeneeskunde.

Ook al was ze pas negentien jaar oud, ze was er al van doordrongen dat alcohol en de verkeerde omstandigheden ervoor konden zorgen dat aardig uitziende jongens veranderden in het soort mensen dat je op maandagochtend om halfacht niet wilde tegenkomen. Of misschien stelde ze zich gewoon aan, en ging het weer net zoals die keer dat ze 's avonds laat langs Old College was gelopen. Toen hoorde ze voetstappen achter zich en zag ze een gestalte snel op zich afkomen. Net toen ze het op een lopen wilde zetten, riep de engerd haar naam en bleek het Ezekiel Mann te zijn, met wie ze samen Biologie had.

Hij vertelde haar over de nieuwe auto van zijn broer en toen hij ook nog eens uit Monty Python ging citeren, begon Julia zo snel te lopen dat ze allebei aan het joggen waren tegen de tijd dat ze bij haar studentenhuis aankwamen. Nadat ze naar binnen was gegaan, drukte hij zijn hand tegen de dichte glazen deur. 'Ik bel je nog!' riep hij haar na.

Ze glimlachte naar hem, maar terwijl ze naar de trap liep,

schoot het door haar heen: *o god, zorg alstublieft dat ik hem niet hoef te kwetsen.*

Julia was beeldschoon. Dat wist ze al van kleins af aan, maar in plaats van er blij mee te zijn, ervoer ze het als een last. Mensen hadden altijd hun oordeel klaar over mooie meisjes. Zij waren de kille, achterbakse krengen die in de films van John Hughes altijd hun verdiende loon kregen. Zij waren de trofeeën die geen enkele jongen op school durfde op te eisen. Als ze verlegen was, vonden mensen haar afstandelijk. Als ze even de kat uit de boom wilde kijken, werd dat als een afwijzing gezien. Dat ze door al die aannames op haar negentiende nog steeds maagd was en bijna geen vrienden had, viel alleen haar twee jongere zusjes op.

Op de universiteit had het anders moeten gaan. Oké, haar studentenhuis bevond zich dan wel op nog geen halve kilometer afstand van haar ouderlijk huis, maar dit was haar kans om zichzelf opnieuw uit te vinden, om de persoon te worden die ze altijd had willen zijn: sterk, zelfverzekerd, gelukkig, tevreden, en geen maagd meer. Daarom onderdrukte ze continu de neiging om in haar kamer te gaan zitten lezen terwijl de wereld aan haar voorbijging. Ze meldde zich aan bij de tennisclub, de atletiekploeg en de natuurclub. Ze vermeed kliekjes en praatte met iedereen. Ze glimlachte naar onbekenden en ging uit met jongens die wel lief, maar niet bijster interessant waren, ook al deden hun wanhopige zoenen haar denken aan een bloeddorstige vis die een andere vis opslurpte.

Tot dat voorval met Beatrice Oliver.

Julia had het verhaal van het meisje via de telex gevolgd

bij de *Red & Black*, de universiteitskrant. Negentien jaar was ze, net als Julia. Met blond haar en blauwe ogen, net als Julia. Een studente, net als Julia.

Beeldschoon.

Vijf weken geleden was Beatrice Oliver rond tien uur 's avonds vertrokken uit haar ouderlijk huis. Ze was te voet naar de winkel gegaan om een ijsje te halen voor haar vader, die last had van tandpijn. Julia wist niet zo goed waarom precies dat gedeelte bij haar was blijven hangen. Het was gewoon vreemd. Waarom zou je iets kouds willen eten als je tandpijn had? Toch hadden beide ouders dat tegenover de politie verklaard.

En Julia had het op de telex kunnen lezen, want Beatrice Oliver was nooit meer teruggekeerd.

Julia was geobsedeerd geraakt door de verdwijning van het meisje. Hoewel ze zichzelf voorhield dat het kwam doordat ze erover wilde schrijven voor de *Red & Black*, vond ze het in werkelijkheid doodeng dat iemand – en niet zomaar iemand, maar een meisje van haar eigen leeftijd – gewoon de deur uit kon lopen en nooit meer terug kon komen. Ze wilde weten hoe het zat. Ze wilde met de ouders van Beatrice Oliver praten, met haar vrienden, met een neef of nicht, een van de buren, een collega, een vriendje of een ander vriendje. Met wie dan ook, als ze maar een verklaring kon vinden voor hoe een meisje van negentien met haar hele leven nog voor zich gewoonweg in rook was opgegaan.

'Waarschijnlijk hebben we te maken met een ontvoering,' had de rechercheur die aan de zaak werkte gezegd in het eerste artikel dat Julia las. Alle persoonlijke bezittingen van Beatrice waren er nog, zoals haar handtas, het contant geld dat ze in haar sokkenlade bewaarde en haar auto, die nog steeds op de oprit van haar ouderlijk huis geparkeerd stond.

De huiveringwekkendste woorden kwamen van Beatrice Olivers moeder: 'De enige reden waarom mijn dochter niet naar huis is gekomen, is omdat iemand haar ergens vasthoudt.'

Ergens vasthoudt.

Julia rilde bij de gedachte dat zij zelf weggehouden zou worden bij haar familie, bij haar leven, bij haar vrijheid. In de boeken die ze als kind las, was de boeman altijd onverzorgd, duister en dreigend geweest. Een wolf in schaapskleren, maar als je goed keek toch duidelijk een wolf. Natuurlijk wist Julia ook wel dat het echte leven niet op die sprookjes leek, dat een slechte man niet meteen te herkennen was aan een opvallende snor en sik.

Degene die Beatrice had ontvoerd, kon best een vriend, collega, buurman of vriendje zijn – alle mensen die Julia wilde interviewen, onder vier ogen, slechts gewapend met pen en papier. Een gesprek met een man die misschien wel op dat moment Beatrice Oliver vasthield op een vreselijke plek.

Julia legde haar hand op haar buik om het kolkende gevoel in haar maag weg te nemen. Ze keek over haar schouder en naar links en rechts, tot het voelde alsof haar ogen door haar hoofd tolden.

Met logisch redeneren probeerde ze een beetje tot rust te komen. Het was goed mogelijk dat ze zich voor niets zo druk maakte. Misschien zouden die interviews niet eens doorgaan. Voordat Julia met iemand in gesprek kon gaan, moest die opdracht eerst aan haar toegewezen worden. Een verslaggever kon immers naar hartenlust vragen stellen, maar een reportageschrijver zoals Julia zou alleen maar nieuwsgierig overkomen. Haar grootste obstakel was Greg Gianakos, de student annex hoofdredacteur die zichzelf als de nieuwe Walter Cronkite beschouwde en Julia deed denken aan wat haar vader altijd over beagles zei: die horen graag het geluid van hun eigen stem.

Als ze Greg kon overhalen, zou zijn knechtje Lionel Vance nog moeten instemmen, maar hij nam het haar nog steeds kwalijk dat ze niet met hem uit wilde gaan. De laatste horde was Mr Hannah, de faculteitsadviseur, die weliswaar heel aardig was, maar de voorkeur gaf aan redactievergaderingen die verliepen als een Mexicaanse klifduikwedstrijd in het programma *Wide World of Sports*.

In gedachten nam Julia haar presentatie door terwijl ze de hoek omging, een lege straat in.

Beatrice Oliver, een negentienjarig meisje dat nog bij haar ouders woonde...

Nee, dan zouden ze al spottend snuiven voordat ze haar zin had afgemaakt.

Een vermist meisje...

Nee, zoveel meisjes raakten vermist. Meestal doken ze na een paar dagen weer op.

Een jong meisje liep 's avonds laat naar de winkel toen er opeens...

Met een ruk draaide Julia zich om.

Achter zich had ze een geluid gehoord. Een schrapend geluid, als schoenen die over straat schuifelden. Snel speurde ze de omgeving af, maar behalve een paar glasscherven, oude bierflesjes en weggegooide kranten was er niets te zien. In elk geval niets waar ze zich zorgen om hoefde te maken.

Langzaam, op haar hoede, liep ze verder. Ondertussen bleef ze portieken en steegjes afspeuren en stak ze zelfs de straat over, zodat ze niet langs een enorme berg vuilnis hoefde te lopen.

Paranoïde.

Verslaggevers zouden alleen oog moeten hebben voor de kille feiten, maar sinds Julia over Beatrice Oliver had gelezen, had ze de wildste dromen gehad die vol zaten met details die niet uit de feiten voortkwamen, maar uit haar eigen fantasie. Beatrice liep over straat. Het was een donkere avond. De maan ging schuil achter de wolken, de lucht voelde koel aan. Ze zag de gloed van een brandende sigaret, hoorde het zachte geluid van schoenen op het asfalt en proefde opeens de nicotine op de hand die voor haar mond werd geslagen. Er werd een vlijmscherp mes op haar keel gezet en ze rook de zure adem van de angstaanjagende vreemdeling die haar meesleepte naar zijn auto en haar in zijn kofferbak gooide. Daarna reed hij met haar naar een donkere, bedompte plek waar hij haar kon opsluiten.

Als Julia's moeder geen bibliothecaresse was geweest, had ze Julia's duistere gedachten vast geweten aan de boeken die ze las. *Mijn vriend de seriemoordenaar. Helter Skelter. De schreeuw van het lam. Het heksenuur.* Haar moeder was echter wél bibliothecaresse, dus waarschijnlijk zou zij haar schouders ophalen en tegen haar oudste dochter zeggen dat ze geen verhalen moest lezen die haar angst aanjoegen.

Of was Julia juist immuun geworden voor gevaar omdat ze zo bang was voor dit soort dingen, omdat ze haar grootste angsten onder woorden bracht?

Ze veegde het zweet van haar voorhoofd. Haar hart bonkte zo luid dat ze haar T-shirt op haar huid voelde kriebelen. Ze stak haar hand in haar tas. Haar walkman lag op de gele sjaal die ze nog thuis moest afgeven, dat had ze haar zusje beloofd. Haar vinger bleef op de playknop rusten, maar ze drukte hem niet in. Ze wilde alleen aan het cassettebandje voelen, om het krabbelende handschrift van de jongen die het voor haar gemaakt had voor de geest te halen.

Robin Clark.

Julia kende hem nu twee maanden. In die tijd hadden ze briefjes met elkaar uitgewisseld, elkaar gebeld of opgepiept en hadden ze tijdens het uitgaan met vrienden net iets te lang naar elkaar gekeken of elkaars hand aangeraakt. Tot ze eindelijk alleen waren geweest en hij haar zo lang en zo goed had gezoend dat haar hoofd bijna ontploft was. Ze had hem één keer mee naar haar ouderlijk huis genomen. Niet om hem aan haar ouders voor te stellen, maar omdat ze haar schone was moest ophalen. Haar jongste zusje had gelachen omdat ze Robin een meisjesnaam vond, totdat Julia haar met een stomp tegen haar arm het zwijgen had opgelegd. Voor die ene keer had dat kreng haar niet verklikt.

Op het cassettebandje stonden liedjes waarvan Robin dacht dat Julia ze leuk zou vinden, geen liedjes waarvan hij wilde dat ze ze leuk zou vinden. Dus geen Styx, Chicago en

Metallica, maar Belinda Carlisle, Wilson Phillips, een beetje The Beatles en James Taylor, en een heleboel Madonna, want hij vond Madonna net zo goed als zij.

Dit bandje stond symbool voor de eerste keer dat een jongen haar had gezien zoals ze was, niet zoals hij wilde dat ze zou zijn. Tot dan toe had Julia heel wat keren gedaan alsof ze hield van drumsolo's, snerpende gitaren en bootlegs van artiesten die tragisch genoeg om het leven waren gekomen voordat ze konden bewijzen hoe cool ze waren – niet alleen aan de jongen die het cassettebandje had gemaakt, maar ook aan de rest van de wereld.

Robin wilde niet dat Julia deed alsof, hij wilde dat ze zichzelf was. Waarschijnlijk had haar hoogleraar Vrouwenstudies een rolberoerte gekregen als ze erachter was gekomen dat Julia eindelijk zichzelf wilde zijn, maar alleen omdat ze een jongen had gevonden die dat ook wilde.

'Robin,' fluisterde Julia in de koele ochtendlucht, want ze vond het heerlijk als zijn naam over haar lippen rolde. 'Robin.'

Hij was tweeëntwintig jaar oud, lang en slank, en had gespierde bovenarmen omdat hij vaak zware bakken met brood moest tillen in de bakkerij van zijn vader. Hij had warrig, bijna zwart Jon Bon Jovi-haar en blauwe ogen, als die van een husky. Wanneer hij Julia aankeek, voelde ze een diep verlangen op een plek die ze niet goed onder woorden kon brengen.

Vóór Robin waren er een paar andere jongens geweest. Die waren allemaal ouder dan hij, maar geen van allen was zo volwassen als hij. Ze waren het soort jongens dat niet erg onder de indruk was van Julia's uiterlijk, omdat ze een auto en zakken vol geld hadden. Haar vader had haar gewaarschuwd dat die jongens maar op één ding uit waren. Alleen had hij niet door dat zij precies op hetzelfde uit was.

Tot aan het tweede honk. Verder was ze nooit gekomen, tenzij er ook een honkbalterm bestond voor hevig friemelen – korte stop, misschien? Brent Lockwood was zestien jaar oud geweest (bijna zeventien) en Julia vijftien (net geen veertien meer). Toen hij aan haar vader had gevraagd of hij haar mee uit mocht nemen, had haar vader gezegd dat Brent dat nog maar eens moest vragen als hij een fatsoenlijk kapsel en een baan had.

Dat Brent een paar dagen later was teruggekeerd met een opgeschoren kapsel en een schort van McDonald's om, had haar vader verrast, haar moeder geïntrigeerd en haar zusjes doen gieren van het lachen. Zelf was Julia woedend geweest. Brents haar was nou juist het mooiste aan hem. Bovendien hing er vanaf dat moment aldoor een geur van gegrild vlees om hem heen. Julia was vegetariër en met Brent omgaan werd een totaal niet grappige variant op het experiment van Pavlov.

Toch had ze een aantal pogingen gewaagd, achter in zijn auto of op de bank in de woonkamer, omdat Brent een knappe jongen was en iedereen wist dat hij al een heleboel meisjes had gehad. Dit was haar kans om het achter de rug te hebben. Ze wilde zo graag het wereldwijze meisje zijn voor wie iedereen haar aanzag: het meisje dat goed met jongens kon omgaan, het meisje dat ervaring had en het ongeïnteresseerde, beeldschone meisje dat iedere man om haar vinger kon winden.

Brent was echter verliefd op haar geweest en had het

daarom rustig aan willen doen. In combinatie met de geur van Franse frietjes die om hem heen walmde, was hij haar daardoor al snel gaan vervelen.

Robin Clark was in geen enkel opzicht saai te noemen. Hij rook heel lekker, naar dennennaalden met een aangenaam vleugje brood uit de bakkerij. Zijn huid was prachtig gebronsd, omdat hij het hele jaar door veel wandelde en fietste. Als Julia tegen hem praatte, keek hij haar in de ogen. Hij probeerde haar problemen niet op te lossen, maar luisterde gewoon. Hij lachte om haar grapjes, zelfs om de slechte – nee, voorál om de slechte. Daarnaast had hij ook een dromerige kant. Hij wilde graag kunstenaar worden, of eigenlijk was hij dat al, want dat baantje in de bakkerij was maar tijdelijk. Julia had zijn werk gezien. De zachte welving van de hals van een hert dat uit een beekje in de bergen stond te drinken. Het vurige oranje en rood van een zonsopgang. Zijn hand, voorzichtig om Julia's heup geslagen.

Dat laatste schetste hij eerst op een servetje voordat hij toenadering zocht. Hij liet de schets tijdens een kopje thee in het studentencafé aan Julia zien en zei dat die tekening afbeeldde wat hij met haar wilde doen. Toen het tijd was om op te staan, knikten haar knieën en had ze zweterige handen. De spanning was op dat moment al zo hoog opgelopen dat haar huid begon te tintelen toen hij eindelijk zijn arm om haar middel sloeg.

'Ik ga je zoenen,' fluisterde hij in haar oor, vlak voordat hij de daad bij het woord voegde.

Julia trok haar hand terug van de walkman. Het busje van de daklozenopvang waar ze als vrijwilliger werkte stond op de kruising van Hull en Washington geparkeerd, een gedeelte van de stad dat om onbekende redenen Hot Corner werd genoemd. Er stonden al mensen in de rij voor het ontbijt. Het waren er minstens dertig, voornamelijk mannen, slechts een paar vrouwen. Met gebogen hoofd en hun handen in hun zakken schuifelden ze voort in de rij. Alles aan hen straalde uit dat ze het vreselijk vonden om afhankelijk te zijn van liefdadigheid, maar het was nou eenmaal niet anders, dus gingen ze elke ochtend bij het krieken van de dag in de rij staan, zodat ze die dag ten minste één warme maaltijd zouden krijgen.

'Goeiemorgen,' riep Candice Bender. Ze stond aluminium bakjes met roerei, gebakken spek, gortepap en toast uit te delen. De grote koffiekan die bij het openstaande portier van het busje stond, was bedoeld als zelfbediening.

'Sorry dat ik zo laat ben.' Julia was helemaal niet laat, maar het was een soort zenuwtrekje van haar om gesprekken te beginnen met een verontschuldiging. Ze pakte een stapel dekens uit het busje en bekeek de rij mensen. Er ontbrak iemand. 'Waar is Mona No-Name?'

Candice haalde haar schouders op.

Julia deed een stap naar achteren om de rij nog beter te kunnen bekijken. Met elk gezicht dat ze zag werd haar angst groter.

'Zie je haar niet?' vroeg Candice.

Julia schudde haar hoofd. Hoewel ze dit werk al lang genoeg deed om te weten dat mensen soms gewoon opeens niet meer kwamen, kon ze de duistere gedachten die haar overspoelden niet tegenhouden.

Mona was nog jong, slechts een paar maanden ouder dan Julia. Ze zorgde beter voor zichzelf dan de anderen, waste zich vaker en droeg mooiere kleren, omdat ze niet al haar geld aan drugs verkwanselde. Op haar achttiende verjaardag was ze uit het pleegzorgsysteem geknikkerd en sindsdien had ze moeten doen wat sommige meisjes nou eenmaal moesten doen om te overleven op straat. Toen Julia haar naar haar achternaam had gevraagd, had Mona opstandig gezegd: 'Ik heb geen naam, bitch.'

'Dan wordt het Mona No-Name,' had Julia gereageerd, aangezien ze in een slecht humeur was en nog een lichte kater had van een spontaan avondje shotjes drinken en crackers met kaas eten. Tot haar grote schaamte was de bijnaam blijven hangen.

'Mo-No was er gisteravond ook al niet,' zei een van de vrouwen terwijl ze een schone deken aannam.

'Wanneer heb je haar voor het laatst gezien?' vroeg Julia.

'Hoe moet ik dat nou weten?'

De vrouwen hier hielden elkaar niet de hand boven het hoofd. Er woedde een felle concurrentiestrijd en er werd vaak geroddeld. Het deed Julia denken aan de middelbare school, want de vrouwen hier namen dezelfde rollen aan: de slet, het lievelingetje van de leraar, het brave meisje, het kreng, de nerd. Mona was het kreng, omdat ze mooi was. Ze had al haar tanden nog, droeg make-up en zag er niet uit als een dakloze. Delilah was de slet, omdat zij ouder was en meer ervaring had. En ook omdat ze daadwerkelijk haar lichaam verkocht.

Momenteel waren er in totaal acht vrouwen in de groep.

Anders dan bij Beatrice Oliver, die was ontvoerd toen ze een ijsje ging halen voor haar vader, wist Julia dat het duistere beeld dat ze van het leven van deze vrouwen had hoogstwaarschijnlijk wél klopte. Prostitutie. Drugs. Honger. Ziekte. Angst. En eenzaamheid, want Julia had ontdekt dat de meeste daklozen hartverscheurend eenzaam waren.

'Ik zag Mona het bos in gaan,' merkte Delilah op. 'Gisteravond rond een uurtje of tien, elf, vlak voordat het begon te plenzen.'

Julia knikte om aan te geven dat ze haar gehoord had.

Eerlijk gezegd was ze een beetje bang voor Delilah, omdat ze zo onvoorspelbaar uit de hoek kon komen. Ze had de neiging om veel te krijsen, te huilen, onophoudelijk te neuriën of zo hard te lachen dat je oren ervan tuitten. Ze was verslaafd en leefde al langer op straat dan Julia als vrijwilliger bij de opvang werkte. Naast een paar foto's van haar volwassen kinderen had Delilah altijd een setje met naalden op zak die ze alleen zelf gebruikte.

De afgelopen vier jaar had Julia eindexamen gedaan, was ze naar de universiteit gegaan, had ze haar eerste jaar cum laude afgerond en was ze gepromoveerd tot hoofd van de reportageafdeling bij de *Red & Black*. In hetzelfde tijdsbestek was Delilah meerdere keren 'gerold', zoals beroofd worden onder de daklozen werd genoemd, en was ze al haar voortanden kwijtgeraakt tijdens een gevecht. Haar haar viel in plukken uit door een gebrek aan goede voeding en op haar huid tekenden zich vreemde paarsbruine vlekken af.

Aids, dacht Julia, hoewel niemand dat hardop durfde te zeggen, want aids was een doodvonnis.

'Er woont een groep mensen in het bos,' vertelde Candice aan Julia. 'Gisteren ben ik ernaartoe gegaan om te kijken of ze hulp nodig hadden, maar kennelijk wonen ze in de buitenlucht omdat ze dat fijn vinden, niet uit pure noodzaak.'

Julia overhandigde een deken aan een man in camouflagekleding. Op zijn zwarte honkbalpetje stond: VERMISTEN VIETNAM, NOOIT VERGETEN. Ze vroeg aan Candice: 'Dus het is hun eigen keuze? Zijn ze dan aan het kamperen of zo?' Robin was die week ook aan het kamperen met zijn familie. Julia was niet uitgenodigd, maar alleen omdat zo'n logeerpartijtje met zijn hele familie nogal vreemd zou zijn. 'Mona lijkt me niet het type dat graag kampeert.'

'De sheriff noemt het een sekte.' Candice trok een overdreven fronsend gezicht. Net als Julia's moeder was ze een voormalige hippie met een gezonde dosis scepsis jegens de autoriteiten. 'Ze zijn allemaal ongeveer van jouw leeftijd, misschien iets ouder. Als je het mij vraagt, is het eerder een commune. Ze kleden zich hetzelfde, ze praten hetzelfde, ze gedragen zich hetzelfde. Het lijkt *The Patty Duke Show* wel.'

Julia onderdrukte een huivering. Het klonk eerder als de Charles Manson Show. 'Waarom zou Mona naar hen toe zijn gegaan?'

'Waarom niet?' Candice was klaar met het uitdelen van de maaltijden en ging nu verder met de dekens. 'Hun plan – als je al van een plan kunt spreken – is om langs het Appalachian Trail naar Mount Katahdin te lopen. Dat zeiden ze tenminste, want het klonk mij eerder in de oren als een excuus om niet meer te hoeven douchen en tekeer te gaan als konijnen.'

'Klinkt goed!' bulderde Vietnam.

Aan Candice vroeg Julia: 'Waar kamperen ze?'

'Net voorbij de Wishing Rock.'

Dus niet in de buurt van waar Robin en zijn familie die week aan het kamperen waren.

'Hoe kijk jij daartegenaan?' vroeg Candice. Ze mocht dan niet meer als docent werken, ze was nog steeds wanhopig op zoek naar jonge zieltjes om te kneden. 'Van huis weggaan, al je wereldse bezittingen achterlaten, leven van het land. Zou jij dat willen?'

Julia haalde haar schouders op, ook al zag ze zichzelf nog eerder op de maan rondwandelen. 'Het zijn vrijgevochten zielen, toch? Dat heeft wel iets romantisch.'

Candice glimlachte, alsof Julia's antwoord haar wel beviel.

Snel pakte Julia een vuilniszak om de lege aluminium bakjes en koffiebekers te verzamelen. Ze had geen idee waarom, maar ze vond het niet vervelend om de troep van deze mensen op te ruimen, terwijl ze het niet kon uitstaan als een van haar luie jongere zusjes een vuile sok op de trap liet rondslingeren.

Kort na haar vijftiende verjaardag was ze hier als vrijwilliger komen werken. Het was toen zomer, ze verveelde zich en er waren geen boeken die ze wilde lezen. Haar zusjes dreven haar tot waanzin en het babysitten hing haar de keel uit. Ze was het beu om alsmaar de leiding te moeten nemen, om te wachten tot ze volwassen was.

'Eens kijken of je dit aankunt,' had haar vader in de auto op weg naar de opvang gezegd.

Julia had vol ongeloof gereageerd, omdat ze toen nog niet wist dat hij haar meenam naar een slechte buurt waar ze geacht zou worden om stinkende, gestoorde daklozen op hun wenken te bedienen.

De opvang was bedoeld als een levensles, net als die keer dat Julia en haar zusjes ieder een van hun kerstcadeaus moesten uitkiezen om aan het kindertehuis te doneren – en dan geen sokken of ondergoed. Julia had een hekel aan levenslessen. Ze vond het vreselijk om ergens toe gedwongen te worden. Ze baalde ervan dat ze zich had laten overhalen om bij haar vader in de auto te stappen, die had gezegd dat ze naar een nest jonge puppy's zouden gaan kijken. Ze was koppig (net als haar moeder, zei haar vader), ze was tegendraads (net als haar vader, aldus haar moeder), ze had een te uitgesproken mening (net als haar ouders, volgens haar oma) en ze was bazig (net als haar oma, als je het haar zusjes vroeg). Dat waren de enige redenen dat ze het die eerste paar maanden had volgehouden bij de opvang.

Ik zal hem weleens laten zien dat ik dit aankan, had ze gedacht terwijl ze laaiend op haar vader was. Daarom had ze zich op het koken, schoonmaken en wassen gestort met een overgave die haar moeder zo zuur vond dat haar lippen permanent tot een dunne streep vertrokken waren.

'Doet Julia de afwas?' Haar moeders stem had getrild als een fietsbel. 'Julia Carroll, onze oudste dochter?'

Het was moeilijk uit te leggen waarom Julia naar de opvang bleef gaan. Ze had er niet echt plezier in om vuile kleren te wassen of wc's te schrobben, maar toch dwong ze zichzelf twee tot drie keer in de week om zeven uur op te staan en naar deze achterbuurt of naar de opvang aan Prince Avenue te lopen. Daar deelde ze eten en dekens uit of maakte ze schoon voor drugsverslaafden, psychisch verwarde mensen en andere verloren zielen.

Door haar uiterlijk werd Julia door de meeste mensen begeerd.

De mensen die ze in de opvang hielp, hadden haar nódig.

Nu vroeg Candice: 'Maak jij het hier af, meisje? Ik heb een bespreking met de burgemeester.'

'Natuurlijk.' Julia gooide de vuilniszak in het busje en pakte een paar pennen en een stapel papier van de voorbank. Er moest een aantal formulieren worden ingevuld: aanvragen voor arbeidsongeschiktheidsuitkeringen, veteranenpensioenen en ziektekostenverzekeringen.

De paar uur daarna vulde Julia papieren in, belde ze vanuit een stinkende telefooncel met overheidsinstanties en praatte ze met een aantal mensen uit de groep over wat ze met hun leven wilden doen. Veel van Julia's vriendinnen haalden hun neus op voor het vrijwilligerswerk dat ze deed. Zij vonden daklozen lui, maar stonden er niet bij stil dat de meeste mensen niet op straat belandden omdat ze een slecht karakter hadden. Vaak was dit het gevolg van een reeks relatief onschuldige verkeerde beslissingen. Ze hadden het aan de stok gekregen met de verkeerde politieagent, hadden foute vrienden gekregen of waren niet komen opdagen op school, werk of een afspraak met hun reclasseringsambtenaar, omdat ze waren vergeten de wekker te zetten.

Hoewel Julia geen psychiater was, was het haar duidelijk dat de meeste mensen hier een onderliggend probleem met hun mentale gezondheid hadden, of ze nu leden aan lichte paranoia, depressie of waanideeën.

'Reagan,' had haar moeder gezegd toen Julia dit voor het eerst bij haar aankaartte. 'Wat had hij dan gedacht dat er zou gebeuren nadat hij de overheidssteun aan psychiatrische ziekenhuizen stopzette? Nu leven al die mensen of op straat, of zitten ze in de gevangenis.'

Beatrice Oliver, het meisje dat ijs was gaan halen en nooit meer was teruggezien. Zij was onder behandeling geweest voor een depressie, dat had Julia op de telex gelezen. Associated Press had een verslaggever op pad gestuurd om met haar ouders te praten terwijl ze naar Beatrice zochten. Of eigenlijk naar haar stoffelijk overschot, maar dat durfde niemand te zeggen. Tegenover die verslaggever had de moeder toegegeven dat Beatrice een keer was behandeld voor een depressie.

Tijdens haar eerste jaar aan de universiteit had Julia zelf ook een psychiater bezocht. Dat had ze aan niemand verteld, omdat ze het gênant vond dat het haar toch zwaarder viel dan gedacht om niet meer thuis te wonen. Tegen het einde van de sessie had de psych gegeeuwd, en daar had Julia meer aan gehad dan aan zijn dooddoeners (sluit je aan bij een vereniging, probeer nieuwe activiteiten uit, ga naar de kapper, glimlach eens wat vaker). Het had haar duidelijk gemaakt dat haar problemen heel alledaags waren, dat de rest van de studenten op de campus, die hun zaakjes prima op orde leken te hebben, met dezelfde angsten te kampen hadden.

Toch zette het haar aan het denken. Stel dat zij op een dag zou verdwijnen of ontvoerd zou worden, zou een of andere verslaggever er dan ook achter komen dat ze met een psychiater had gepraat? Zou iedereen dan denken dat ze psychische problemen had gehad?

'Ze is meegenomen!' Door Delilahs harde stem schrok Julia op uit haar gedachten. 'Let op mijn woorden, meissie.'

Julia keek op van de brief die ze aan Delilahs dochter aan het schrijven was. Het meisje schreef nooit terug, maar daar leek Julia teleurgestelder over te zijn dan Delilah was.

'Ze is meegenomen,' herhaalde Delilah. 'Mona No-Name. Een man heeft haar meegenomen.'

'O.' Meer wist Julia niet uit te brengen.

'Nee, je begrijpt me verkeerd,' drong Delilah aan. 'Hij heeft haar meegenomen, zo van…' Grommend maakte ze een cirkel van haar armen en deed alsof ze iemand bruut vastpakte.

Snel trok Julia haar eigen armen terug, alsof die man háár greep.

'Ze liep over straat,' vervolgde Delilah. 'Ze kwam voorbij die ouwe auto toen er een zwart busje stopte. Het portier schoof open en een grote witte kerel stak zijn hand uit en…' Weer maakte ze dat grijpende gebaar.

Julia wreef over haar armen om de kilte te verdrijven. In gedachten zag ze het al voor zich: het zwarte busje, het openschuivende portier, het wazige beeld van een gladgeschoren, typisch Amerikaanse vent die opduikt uit het pikkedonker. Zijn armen uitgestoken, zijn vingers vervormd tot klauwen. Zijn mond vertrokken in een verbeten grijns vol vlijmscherpe tanden.

'Neem het nou maar van mij aan, meissie.' Delilahs

grommende stem klonk dreigend. 'Ze hebben haar meegenomen. Dat kan ons allemaal overkomen. Jou ook.'

Julia legde haar pen neer en staarde in Delilahs slijmachtige gele ogen. Heroïne, daar waren die naalden in Delilahs setje voor. Kaposisarcoom, daar werden die plekken op haar huid door veroorzaakt. Julia had al meerdere artikelen over hiv en aids geschreven voor de *Red & Black*, daarom wist ze dat deze zeldzame vorm van kanker zich naar de organen kon uitzaaien en de hersenen kon aantasten. Zelfs wanneer Delilah op haar best was, was ze niet helder. Had ze een soort visioen of koortsdroom gehad? Het leek onmogelijk dat iemand zomaar van straat geplukt kon worden, midden in het centrum van Athens.

Aan de andere kant leek het ook onmogelijk dat een meisje van straat geplukt kon worden, terwijl ze van haar ouderlijk huis naar de winkel liep om een ijsje voor haar vader te halen.

En niet zomaar van straat geplukt.

Ergens vastgehouden.

Toch herinnerde Julia Delilah aan haar eerdere uitspraak: 'Daarstraks zei je nog dat je Mona het bos in had zien gaan.'

'De banden van dat busje zaten onder de aangekoekte modder. Gras en zo. Ik durf m'n rechtertiet erom te verwedden dat hij haar mee het bos in heeft genomen.' Ze leunde dichter naar Julia toe. Haar adem stonk naar bederf en sigaretten. 'Mannen doen dingen met meisjes, schat. Als ze de kans krijgen, doen ze dingen die jij niet wil weten.'

Julia voelde dat de haartjes in haar nek overeind gingen staan.

'Ha!' Delilah lachte, zoals altijd wanneer ze iemand op de kast wist te jagen. 'Ha!' Ze greep naar haar buik. Hoewel er verder geen geluid uit haar mond kwam, liet ze haar hoofd achterovervallen alsof ze het uitschaterde. Haar kale tandvlees blonk in het licht van de zon.

Julia wreef over haar nek om de haartjes daar weer glad te strijken.

Beatrice Oliver. Mona No-Name. Ze woonden nog geen dertig kilometer bij elkaar vandaan. Allebei waren ze knap, blond en pakweg van dezelfde leeftijd. Allebei hadden ze 's avonds over straat gelopen. Zouden ze gezien zijn door een boosaardige man die had besloten hen te ontvoeren?

Zou het dezelfde man zijn geweest, of twee verschillende mannen? Waren die mannen nu thuis bij hun gezin? Maakten ze ontbijt klaar voor hun kinderen, stonden ze zich te scheren of kusten ze hun vrouw gedag, glimlachend bij de gedachte aan wat ze later zouden doen met de meisjes die ze hadden ontvoerd?

'Hé.' Delilah porde tegen Julia's arm. 'Schiet eens op, ik heb nog meer te doen.'

Julia pakte de pen weer op en maakte de brief aan Delilahs dochter af. Zoals gewoonlijk ondertekende ze met 'Liefs', ook al had Delilah haar daar nooit om gevraagd.

10.42 uur – Lipscomb Hall,
University of Georgia, Athens

Nog geen halfuur nadat Julia was teruggekomen in haar studentenhuis, werd ze wakker van haar pieper. Op de tast rommelde ze in haar handtas om het irritante geluid te laten ophouden. Haar hand raakte verstrikt in de gele sjaal die ze thuis had willen afgeven aan haar zusje. Eindelijk wist ze de knop te vinden en hield het gepiep op.

Ze draaide zich op haar rug en staarde naar het plafond. Haar hart bonkte in haar keel. Met twee vingers tegen haar halsslagader gedrukt telde ze de slagen tot het ritme langzaam weer normaal werd.

Ze had weer over Beatrice Oliver gedroomd. Deze keer had ze Beatrice niet van een afstandje gadegeslagen, maar zelf haar plaats ingenomen. Haar vader – Julia's eigen vader – had tegen haar gezegd dat hij tandpijn had, waarop ze had aangeboden om ijs te gaan halen in de winkel. Haar moeder had haar wat geld meegegeven en het volgende moment had ze over straat gelopen, maar in plaats van Beatrice Oliver was ze opeens Mona No-Name. Het was donker en kil, en ze zag een oldtimer staan. Plotseling werd er een zweterige mannenhand voor haar mond geslagen, voelde ze dat haar voeten loskwamen van de grond en werd ze de donkere, dreigende muil van het openstaande portier van een busje in gesleurd.

Toen bracht Julia een hand voor haar mond en vroeg ze zich af hoe het zou zijn om zo plotseling het zwijgen opgelegd te worden. Met haar vingers streek ze langs haar lippen. De aanraking werd steeds lichter, en voordat ze het wist glipte de zweterige, kwaadaardige man uit haar gedachten en dacht ze alleen nog maar aan Robin. Aan zijn zachte lippen op de hare. Aan zijn verrassend ruwe wang die langs die van haar streek. Aan zijn grote handen die haar borsten zo teder beroerden, en aan het gevoel dat dit bij haar teweegbracht omdat hij precies wist wat hij deed. Hij kneep of draaide niet, hij bereed haar niet alsof hij een zwerfhond was. Nee, hij bedreef de liefde met haar.

Althans, dat zou hij gaan doen, nam ze zich voor.

Haar moeder, die het belangrijk leek te vinden om openhartige, gênante gesprekken te voeren over alles, van seks tot drugs, had tegen haar gezegd dat ze met iedereen intiem mocht zijn, als ze maar zeker wist dat ze het echt wilde.

Julia wilde echt met Robin Clark naar bed.

Niet dat ze daar haar moeders toestemming voor nodig had.

Ze draaide zich op haar zij. Nancy Griggs, haar kamergenote, was twintig minuten geleden vertrokken naar haar keramiekles. Op dat moment had Julia gedaan alsof ze sliep. Dit weekend hadden ze knallende ruzie gehad, omdat Julia Nancy een preek had gegeven over dat ze niet te lang in bars moest blijven hangen en ervoor moest zorgen dat iemand die ze vertrouwde met haar meeliep naar huis.

Doordat Nancy met haar ogen had gerold, was Julia nog fanatieker geworden, en dat werkte averechts. Terwijl ze tegen haar beste vriendin tekeerging, drong het tot haar door dat ze precies zoals haar moeder klonk. Voor het eerst in haar leven kon dat haar echter niks schelen. Beatrice Oliver had er misschien wel baat bij gehad als haar wat vaker was ingepeperd dat ze goed op haar omgeving moest letten, en dat je moest zorgen dat je niet door een of andere gek van straat werd geplukt als je 's avonds laat een ijsje ging halen voor je vader.

'Val dood,' had Nancy haar toegebeten. 'Dat jij nu een vriendje hebt, wil niet zeggen dat je alles weet.'

Dat was de echte reden waarom Nancy boos op haar was. Julia was nooit eerder verliefd geweest, als je dit al verliefdheid kon noemen. Ze had nog nooit echt verkering gehad, zoals met Robin. In de bijna vijftien jaar dat ze vriendinnen waren, was Nancy altijd degene geweest die vriendjes had gehad en wereldwijs was op een manier die Julia alleen uit boeken kende.

Het deed Julia denken aan iets wat haar oma vaak zei: 'Je springtouw is veranderd in een hondenriem.'

'Robin!' Met een ruk ging Julia rechtop in bed zitten. Haar hart ging weer tekeer en haar mond liep vol met speeksel. Snel griste ze de pieper uit haar tas. Misschien was het

Robin wel. Misschien stond hij nu in een telefooncel bij het bos te wachten tot zij hem zou bellen. Ze drukte op de knop om het nummer zichtbaar te maken, maar toen het in beeld kwam, wilde ze het apparaatje het liefst door de kamer smijten. Het was geen bericht van Robin, maar waarschijnlijk van een van haar zusjes, die de code 73837737 had gestuurd zodat er op zijn kop 'lellebel' stond.

'Hilarisch,' mopperde Julia, terwijl ze bedacht dat het gezien het tijdstip wel haar middelste zusje Pepper moest zijn, omdat haar jongste zusje veel te braaf was om te spijbelen.

Ze zwaaide haar benen over de rand van het bed en haar tenen tikten de vloer aan. Ze staarde naar Nancy's rommelige kant van de kamer. Hun beddengoed hadden ze samen uitgezocht bij Sears en de gordijnen en posters waarmee de kamer was aangekleed, hadden ze gekocht van het geld dat ze met oppassen hadden verdiend. Julia wist nog goed hoe zelfstandig ze zich op dat moment hadden gevoeld. Ze stonden op eigen benen, gaven hun zuurverdiende geld uit en zorgden voor zichzelf, als echte volwassenen. Na afloop was ze naar huis gegaan en had ze op kosten van haar ouders afhaalchinees gegeten. Ze had de kleren die haar ouders hadden betaald gewassen in hún wasmachine en had toen weer doodsangsten uitgestaan, omdat ze eigenlijk helemaal niet in staat was om zichzelf te onderhouden.

Julia zette twee stappen en ging aan haar bureau naar haar notitieblok zitten staren, waarop ze aan een liefdesbrief aan Robin was begonnen. Ze had een stuk geciteerd uit dat liedje van Madonna over zoenen in Parijs en hand in hand door Rome lopen.

Zou ze echt met hem naar bed moeten gaan? Was hij daar de juiste persoon voor? Vorig jaar rond deze tijd had het haar niet uitgemaakt aan wie ze haar maagdelijkheid zou verliezen. Waarom maakte ze er nu zo'n punt van?

Met haar potlood trok ze de songtekst nog eens over.

Kiss you in Paris...

Dit was waarschijnlijk niet het beste moment om een liefdesbrief te schrijven, zeker aangezien Robin pas aan het eind van de week terug zou komen. Ze mocht niet zo'n dom wicht worden dat alles uit haar handen liet vallen voor een jongen. Eigenlijk zou ze moeten studeren voor dat belangrijke psychologietentamen en haar essay over Spenser nog eens moeten lezen voor professor Edwards' college van vanmiddag. Bovendien zou ze aan haar voorstel voor de *Red & Black* moeten werken, want aangezien het al vijf weken geleden was dat Beatrice Oliver was ontvoerd, zou het al moeilijk genoeg worden om Greg, Lionel en Mr Hannah ervan te overtuigen dat haar verdwijning nog steeds nieuwswaardig was.

Terwijl ze met haar potlood tegen haar mond tikte, staarde ze naar de polaroids die aan de muur voor haar hingen. Nancy die haar middelvinger opstak. Haar zusjes die onhandige radslagen maakten in het park. Haar ouders die met elkaar dansten op een feestje; ze waren aan het schuifelen, maar het zag er romantisch uit in plaats van gênant. En hun schildpad Herschel Walker, een niet al te gewaardeerd moederdagcadeau, die lag te zonnen op de veranda.

Een mooi jong meisje liep over straat toen er opeens...

Er kwam een verontrustende gedachte bij haar op. Was

Beatrice Oliver ook nog maagd geweest? Was de persoon die haar had ontvoerd, de persoon die haar ergens vasthield, de eerste persoon met wie ze ooit seks had gehad?

Zou hij ook de laatste zijn?

'Houd je kop!' schreeuwde een meisje in de gang. Aan haar tongval te horen kwam ze uit Alabama, al werd het geluid gedempt door de dichte houten deur. Het klonk alsof ze iemand aan het pesten was. Julia had meteen een hartgrondige hekel aan haar, zonder haar zelfs maar te hebben gezien. 'Nee, jíj hebt het gedaan, stomme gans.'

Julia schrok toen er hard op de deur werd gebonkt.

'Hallo-o?' riep Alabama.

Aangezien er alleen meisjes in het studentenhuis woonden, nam Julia niet de moeite om haar badjas te pakken, ook al had ze alleen een T-shirt en ondergoed aan. Van die beslissing had ze meteen spijt toen ze besefte dat ze dit meisje nog nooit had gezien.

Dat weerhield Alabama er niet van om de kamer in te lopen. 'Wat een rotzooi. Jullie zouden een schoonmaker moeten nemen.' Ze keek onder Nancy's bed en daarna naast haar bureau. Van daaruit liep ze naar Nancy's kast.

'Sorry hoor,' zei Julia, 'ken ik jou?'

'Ik ben een vriendin van Nancy.' Het meisje trok de kast open. 'Ze zei dat ik iets van haar mocht lenen. Ah, ik heb hem al.' Ze trok een leren tas uit de kast, waardoor er een berg schoenen omviel. Toen ze zich weer omdraaide, nam ze Julia langzaam van top tot teen in zich op. 'Leuke sokken.'

Met die woorden vertrok ze en liet ze een zure walm van minachting achter.

Julia keek omlaag. Haar sokken waren grijs met zwart-geelbruine teckels erop. Het liefst zou ze achter het meisje aan rennen om te vragen wat er aan haar sokken mankeerde, maar eigenlijk wist ze ook wel dat die opmerking niets met haar sokken te maken had, maar bedoeld was om Julia op haar plaats te zetten.

Hoewel Julia dat soort spelletjes best begreep, had ze geen idee hoe ze ze moest spelen.

Ze keek op haar horloge. Haar college over Spenser begon pas om twaalf uur. Ze moest nog steeds de gele sjaal afgeven aan haar zusje en haar moeder had beloofd een paar uitdraaien die ze nodig had voor haar klaar te leggen op de keukentafel. De zon scheen, het was een frisse dag. Misschien zou een eindje fietsen de spookbeelden uit haar hoofd kunnen verjagen.

Julia deed haar spijkerbroek aan, trok een sweater over haar t-shirt aan, pakte haar tasje en begon haar boekentas in te laden. Pas nadat ze de deur al op slot had gedaan, bedacht ze dat ze haar tanden had moeten poetsen en een kam door haar haar had moeten halen, maar dat kon ze thuis ook wel doen. In haar ouderlijk huis, corrigeerde ze zichzelf, want ze woonde natuurlijk niet meer in het huis aan Boulevard.

Eenmaal buiten kostte het haar moeite om haar fiets van het slot te krijgen, omdat ze de sleutel door een laag roest heen moest zien te persen. De ochtendnevel was helemaal opgetrokken tegen de tijd dat ze langs de zwarte ijzeren boogdoorgang naar de North Campus fietste. Waarschijnlijk had ze beter een jas kunnen aantrekken, maar zolang ze in de zon bleef ging het wel. Ze slingerde tussen de andere studenten op Broad Street door. Zo te zien was iedereen in een goed humeur. Het weer schommelde tussen winters en lenteachtig en elke dag die zonnig beloofde te worden, was er een om te koesteren.

Het was nog geen kwartier fietsen van Julia's studentenhuis naar het huis van haar ouders, maar op de een of andere manier leek de heenreis altijd langer te duren dan de terugreis. Wanneer ze de lanen van haar oude buurt in reed, werd ze steevast overvallen door nostalgie. Eenmaal aangekomen op Boulevard ging Julia op haar pedalen staan. De statige victoriaanse huizen en woningen in ranchstijl waren voor haar bekend terrein. In deze wijk woonden vooral hoogleraren, al beweerde haar moeder dat sommige oudgedienden hier al waren sinds het jaar kruik.

Ze knikte naar Mrs Carter, die haar tuinslang nog altijd bij de hand hield voor het geval dat kinderen een stukje af probeerden te snijden door haar enorme voortuin. Daarna stak ze de straat over en keek ze al uit naar het zien van de keffende springerspaniël van de Bartons. Ook al had hij zichzelf nóg zo vaak bijna gewurgd, toch vergat hij telkens, wanneer er iemand voorbijkwam, dat hij met een ketting aan een boom vastzat.

Uiteindelijk reed ze de oprit van het gele victoriaanse huis van haar ouders op. Peppers fiets stond tegen de veranda, maar daar viel niets uit af te leiden, want haar middelste zusje was zestien en had volop vriendinnen die haar met de auto naar school konden brengen. De roze fiets van haar jongste zusje stond er niet, want die perfecte kleine

34

Sweetpea deed altijd precies wat haar ouders van haar verwachtten.

Sweetpea. Julia's zusje was niet zoet en had ook niet de vorm van een erwt, eerder die van een puntige stok. Haar bijnaam had ze gekregen omdat ze in de zomer dat ze acht werd alleen maar doperwten wilde eten. Het was een mooi verhaal – net zoals Pepper zo werd genoemd omdat oma altijd zei dat ze peper in haar reet had – maar Julia was degene die de hele zomer telkens een blik erwten moest opentrekken als Etterbakje weer eens om meer brulde. Om er nog maar van te zwijgen hoe die erwten er op weg naar buiten uitzagen. Je zou denken dat de groene diarree haar fataal was geworden, maar nee, ze was er nog steeds.

Bij die laatste gedachte voelde Julia zich meteen schuldig. Ze zou best wat liever mogen zijn voor haar zusje, maar dat viel niet mee aangezien zij het veel makkelijker had dan Julia het vroeger had gehad. Het leek wel alsof haar ouders in die vijf jaar van harde, onvermurwbare keien waren veranderd in piepkleine kiezelsteentjes die je over de beek kon laten stuiteren. Natuurlijk hield Julia van Sweetpea, ze waren per slot van rekening zusjes. Toch waren er ook momenten waarop ze haar wel kon wurgen, ze waren per slot van rekening zusjes.

Om haar schuldgevoel de kop in te drukken, dacht Julia aan de momenten waarop ze één front vormden. Zoals die zeldzame keren dat hun ouders ruzie hadden – échte ruzie dan, want verhitte discussies hadden ze maar al te vaak gevoerd. Op die momenten sliepen de drie meisjes samen in één bed, alsof ze zich door middel van elkaars nabijheid konden beschermen tegen het geschreeuw. Of die keer dat oma tegen Pepper zei dat ze te dik was en Sweetpea haar een ouwe zeurkous noemde. Of toen Julia de allereerste keer dat ze een joint had gerookt was opgepakt, en haar zusjes buiten haar slaapkamerdeur op wacht bleven staan tot haar ouders klaar waren met tegen haar schreeuwen. Of toen Charles en Diana in het huwelijk traden en ze alle drie als kleine kinderen hadden zitten snikken, omdat het zo romantisch was hoeveel die twee van elkaar hielden, en omdat ze hoopten dat hun zusjes ook de eeuwige liefde zouden vinden, het liefst bij een rijke prins.

Door die herinneringen voelde Julia zich een beetje weemoedig terwijl ze naar het huis toe liep. Ze stapte over de kapotte trede van de veranda heen, waarover haar moeder alsmaar tegen haar vader mopperde dat hij die moest repareren, en ontweek de pot met verlepte krokussen, waarover haar vader telkens tegen haar moeder mopperde dat ze die moest verpotten. Zoals gewoonlijk was de voordeur niet op slot. De sleutels waren altijd onvindbaar en haar moeder was er redelijk zeker van dat een dief na één blik op het aftandse meubilair in hun woonkamer al zou bedenken dat hier niets de moeite van het stelen waard was.

Julia's vader was dierenarts en nam heel vaak zwerfdieren mee naar huis. Wanneer haar moeder daar een stokje voor probeerde te steken, namen Julia en haar zusjes de dieren in zijn plaats mee. Het gele victoriaanse huis werd hier in de buurt dan ook met enige afkeuring het Dr. Dolittle-huis genoemd.

Toen Julia haar boekentas neerzette, streek er een bruine

cyperse kat van onbekende herkomst langs haar benen. Vanaf de bank klonk een lage blaf van Mr Peterson, een verminkte terriër die liggend op zijn rug moest aansterken. Naast hem op de grond zat Mrs Crabapple, een goudbruine labrador met geheugenproblemen. Vanuit de serre klonk het zachte gemurmel van een herstellende toekan.

'Meisjes, mag ik jullie voorstellen aan *señora* Pikos-in-je-vingeros, uit de familie Ramphastidae,' had haar vader gezegd toen hij de vogel introduceerde op dezelfde formele toon die hij altijd in het bijzijn van patiënten gebruikte.

'*Ay, caramba,*' had haar moeder gemompeld, en de rest van de avond had ze zich teruggetrokken in het souterrain.

Nadat Julia de honden een aai had gegeven liep ze naar de keuken, waar het zoals gewoonlijk een enorme puinhoop was. De borden en glazen van het ontbijt stonden nog op haar zusjes te wachten, al zou Sweetpea ze zó langzaam afwassen dat Pepper het uiteindelijk zou overnemen. Er sprong een onbekende oranje kat op het aanrecht, een duidelijke overtreding van de enige regel die Julia's moeder erop na hield voor katten. Julia pakte hem op en zette hem op de vloer. Hoewel de kat meteen weer op het aanrecht sprong, vond Julia dat ze zo wel genoeg had gedaan.

De stapel uitdraaien lag inderdaad op de keukentafel. Ze had haar moeder gevraagd om alle artikelen van het afgelopen jaar op te zoeken over meisjes die vermist waren geraakt in de staat Georgia. Het handschrift bovenaan het eerste vel was net zo keurig als dat van een kleuterjuf, wat erop duidde dat haar moeder een van de bibliotheekassistentes aan het werk had gezet met het microficheapparaat.

De vrouw had een briefje geschreven: *Dit zijn de artikelen waarover geen vervolgartikelen zijn verschenen.*

Terwijl Julia het eerste artikel las, smeerde ze wat pindakaas op een banaan. Twee maanden geleden had *Clayton News Daily* een artikel op de voorpagina geplaatst over een meisje dat was verdwenen van de universiteitscampus. De foto was te donker om een idee te krijgen van hoe het meisje eruitzag, maar volgens de beschrijving was ze een mooie brunette.

Julia bladerde verder. *Statesboro Herald.* Nog een vermist meisje, voor het laatst gezien in een bioscoop. Omschreven als sportief en aantrekkelijk.

Het volgende artikel was afkomstig uit *The News & Observer.* Een vermist meisje was voor het laatst gesignaleerd in de buurt van de braderie van Fannin County. Lang, met donker haar en een knap gezicht.

Tri-County News. Een meisje uit Eden Valley was als vermist opgegeven. Blond haar, blauwe ogen. Voormalig winnares van een missverkiezing.

The Telegraph. De kop luidde: KAMERGENOTE VAN STUDENTE AAN MERCER: 'ZE IS NOOIT MEER THUISGEKOMEN'. Ook de dominee werd in het artikel geciteerd: 'Ze is een beeldschone, vrome jonge vrouw en we willen allemaal gewoon dat ze terugkomt.'

Mooi. Knap. Beeldschoon. Jong.

Net als Beatrice Oliver.

Net als Mona No-Name.

De twee recentste verdwijningen stonden nog niet op microfiche, maar over een paar maanden zouden die meisjes zich aansluiten bij dit clubje dat niet te benijden viel. Julia controleerde de dagtekeningen. Geen van de verhalen was afkomstig uit Athens. Dat was niet alleen om de voor de hand liggende reden een opluchting, maar ook omdat het betekende dat haar niets was ontgaan in de *Athens-Clarke Herald*, die ze elke dag las.

Julia maakte een stapel van de afdrukken. De verhalen hadden haar geraakt en ze voelde haar hart weer tekeergaan. Het was opeens benauwd in de keuken en ze wuifde zichzelf koelte toe met de papieren. Terwijl ze ermee heen en weer wapperde, gaven ze telkens een glimp prijs van rouwende ouders, schoolfoto's en spontane kiekjes die tijdens de zomervakantie waren genomen.

Al die mooie meisjes. Allemaal vermist. Of ontvoerd. Of ergens vastgehouden.

Of misschien was hun stoffelijk overschot alleen nog niet gevonden.

Er viel een kaartje tussen de bladzijden uit. Het was een briefje in haar moeders handschrift. Geen standje omdat ze zulk deprimerend leesmateriaal had opgevraagd, maar een bonnetje van de bibliotheek. Achtentwintig afdrukken van vijf cent per stuk.

Julia viste een dollar en twee kwartjes uit haar tas, al wist ze dat haar moeder er irritant genoeg alles aan zou doen om haar die tien cent wisselgeld terug te geven. Het geld liet ze samen met het bonnetje op de tafel achter. Haar blik viel op de datum van vandaag: 4 maart. Haar oma was bijna jarig. Weer begon Julia in haar tas te rommelen. Daar vond ze de kaart die ze al had gekocht voordat oma tegen haar had gezegd dat het ernaar uitzag dat Julia die laatste paar studentenkilo's nooit meer zou kwijtraken.

'Ze bedoelt dat je dik bent,' had Sweetpea behulpzaam gezegd.

Julia legde de dichtgeplakte envelop op tafel. In de verjaardagskaart had ze een paar aardige dingen geschreven, aardige dingen waar ze nu niet meer achter stond. Zou ze de envelop open kunnen stomen om het een en ander aan te passen?

Uiteindelijk liet ze de kaart gewoon op tafel liggen. Zo voelde het misschien om je niet tot iemands niveau te verlagen, alleen was het wel balen dat niemand daar iets van afwist.

Ze ging naar haar slaapkamer, die zich op de begane grond bevond omdat de studeerkamer van haar vader op de bovenverdieping te rommelig was om tot babykamer om te toveren toen Sweetpea op komst was. In de deuropening bleef ze even staan. Hoewel er niets was veranderd, voelde ze zich een buitenstaander. De muren waren nog steeds lila. Haar rockposters hingen er nog: Indigo Girls, R.E.M. en aan het plafond Billy Idol, zodat hij de laatste was die ze zag wanneer ze 's avonds naar bed ging. De polaroids van haar middelbareschoolvriendinnen waren nog steeds tussen de lijst van de spiegel boven de kaptafel gestoken. Mr Biggles lag nog op haar bed. Ze pakte de versleten knuffelhond, drukte een kus op zijn kop en bood hem voor de zoveelste keer in gedachten haar verontschuldigingen aan, omdat ze hem per ongeluk had weggegooid op de dag dat ze haar spullen had gepakt om haar intrek in het stu-

dentenhuis te nemen. Godzijdank had haar vader hem ge-
red.

Ze streek glad wat er over was van Mr Biggles' sjofele,
vlekkerige vacht. Het arme ding had heel wat meegemaakt.
Julia had 's nachts zo vaak op hem gelegen dat hij bijna helemaal plat was. Sweetpea had zijn haar bijgeknipt nadat ze
per ongeluk-expres limonade over hem heen had gemorst.
Pepper had zijn neus verschroeid met een krultang en hoewel Julia op dat moment had gedaan alsof ze het grappig
vond, voelde het alsof ze doodging vanbinnen.

Voorzichtig legde ze Mr Biggles weer op het plekje waar
hij thuishoorde. Met de mouw van haar sweater veegde ze
wat stof van de lelijke blauwe lavalamp waarvan ze wist dat
haar moeder ervan gruwde – daarom had Julia hem hier
ook achtergelaten. De oranje kat sprong op haar bed. Pas
toen ze haar hand over zijn rug liet glijden, besefte ze dat dit
weer een andere oranje kat was. Op zijn rechterachterpoot
zat een kaalgeschoren plekje waar een infuus had gezeten.
Zijn gespin klonk als de trillende tanden van een kam.

Julia diepte de gele sjaal op uit haar tas en liep de trap op
naar Peppers slaapkamer. Zoals gewoonlijk zag het eruit
alsof er een bom was ontploft. De vloer was bezaaid met
kleren, en boeken lagen opengeslagen met de bladzijden
omlaag ('een zonde', als je het hun moeder zou vragen). De
wanden waren donkergrijs geschilderd en de gordijnen waren bijna zwart. De kamer leek eerder op een grot, maar dat
was precies de bedoeling. Zoals het ook de bedoeling was
dat het hun moeder tot waanzin zou drijven.

Julia bracht haar hand naar haar hals. Ze had Peppers

gouden medaillon maanden geleden al zonder te vragen geleend, maar haar zusje had afgelopen vrijdag pas gemerkt dat het weg was. Er was een verhitte ruzie ontstaan toen Julia beweerde dat ze het medaillon niet had gepakt, en nogmaals toen Pepper doorkreeg dat Julia het medaillon nota bene om had en het onder haar shirt had weggestopt. In plaats van het terug te geven, was Julia het huis uit gestormd en had ze de deur achter zich dichtgeslagen.

'Jij hebt mijn strohoed gepikt!' had ze nog over haar schouder geroepen, alsof ze daarmee quitte stonden.

Waarom had ze zich zo kinderachtig gedragen? En waarom zou ze het medaillon niet gewoon teruggeven? Ze keek naar de kaptafel, die vol lag met prullaria die Pepper hooguit één keer had gedragen en waar ze vervolgens nooit meer naar had omgekeken. Zilveren en zwarte armbanden. Een grote zwarte strik die eigenlijk van Julia was. Meerdere t-shirts waarvan de kraag in *Flashdance*-stijl was uitgescheurd. Regenboogkleurige leggings. Zwarte panty's. Zoveel oogschaduw, poedertjes en rouge dat Julia zich er geen raad mee zou weten.

Niet dat haar zusje make-up nodig had. Julia mocht dan beeldschoon zijn, Pepper was voluptueus, wat volgens Julia zonder meer de voorkeur verdiende. Haar middelste zus had weelderige rondingen, en nu ze wat ouder werd had ze iets sensueels, waardoor de vrienden van hun vader de stomste dingen uitkraamden wanneer zij erbij was.

Dat kwam niet alleen door haar uiterlijk. Ze had een bepaalde houding die mensen aantrok. Ze zei altijd waar het op stond en deed wat ze wilde, zonder zich erom te bekommeren wat anderen daarvan vonden. Ook had ze meer levenservaring dan Julia. Ze was pas twaalf toen ze voor het eerst een trekje van een joint nam. Vorige week had ze op een feestje cocaïne gesnoven omdat iemand haar had uitgedaagd, wat angstaanjagend maar ook best indrukwekkend was. Het gouden medaillon had ze cadeau gekregen van een jongen met wie ze het had gedaan op de achterbank van zijn vader's Chevy. Althans, dat had Pepper gezegd, en waarom zou ze over zoiets liegen?

Julia stopte het medaillon weer onder haar shirt. Ze deed een paar van de zwarte en zilveren armbanden om, want ze had de hare tegelijkertijd gekocht en het was niet te zien welke van wie waren. Daarna pakte ze de zwarte strik. De gele sjaal legde ze op het bed, in de hoop dat haar zusje hem zou zien liggen tussen de berg kleding die er al lag. Net toen ze de kamer uit wilde lopen, hoorde ze een zachte kreun.

Ze fronste haar wenkbrauwen. Was die arme oude labrador weer naar een hoekje gelopen en wist ze niet meer hoe ze daar weg kon komen? Stond een van de katten op het punt een haarbal op te hoesten?

Weer klonk er een kreun, zacht en langgerekt, ongeveer zoals het tevreden geluid dat iemand maakt als het hem eindelijk lukt zich eens goed uit te rekken.

Toen Julia de overloop op liep, zag ze dat de slaapkamerdeur van haar ouders dicht was. Door de kieren kwam wat licht naar buiten. Ze hoorde nog een kreun en rende de trap af voordat ze het nog eens zou horen en zuur in haar oren zou moeten gieten om de herinnering uit te bannen.

'Getver,' mompelde ze terwijl ze haar fiets pakte. 'Getver-degetver.'

De hele rit terug naar de campus dacht ze aan van alles, om maar niet aan haar ouders die seks hadden te hoeven denken. De hoorzittingen over de Iran-Contra-affaire, waarvoor Julia was thuisgebleven van school om er samen met haar vader naar te kijken. De eerste hond die ze had gehad, Jim Dandy, een golden retriever die mank liep omdat, in de woorden van haar vader: 'een of andere ezel ervan uit-ging dat een hond verstand had van natuurkunde en hem los in de laadbak van een pick-up had vervoerd.' Sweetpea's der-tiende verjaardagsfeest vorig jaar, toen ze allemaal blij waren geweest dat ze eindelijk een tiener was geworden – behalve dan haar moeder, die wat van haar vaders bier had gedronken en neerslachtig was geworden. Opa Ernie, die altijd zijn gitaar erbij pakte na de zondagse lunch en ze dan allemaal dansten op de muziek die hij speelde, ook al kende niemand die.

Tegen de tijd dat ze weer op de campus aankwam, was het precies twaalf uur. Julia zette haar fiets met het ket-tingslot vast voor het Tate Student Center en rende naar de collegezaal. Professor Edwards stond al achter zijn spreek-gestoelte te vertellen en staarde Julia doordringend aan toen ze zich naar binnen haastte.

'Het spijt me,' zei ze terwijl ze snel naar haar zitplaats ach-terin liep. 'Ik was mijn essay vergeten en moest terug naar mijn kamer om hem te halen.'

Toen ze wilde gaan zitten, hield hij haar tegen. 'Geef maar hier.' Hij wenkte haar om aan te geven dat hij geen grapje maakte.

Julia legde wat aanvoelde als duizend kilometer af naar professor Edwards en overhandigde hem het twaalf pagina's tellende essay. Ze had het op de typemachine geschreven en het zat vol met vlekken van de correctievloeistof.

Precies op het moment dat ze zich weer wilde omdraaien, zei hij: 'Wacht hier maar. Dit zal niet lang duren.'

Zodoende bleef ze voor zijn spreekgestoelte staan terwijl hij haar werk las. Nerveus verplaatste ze haar gewicht van de ene naar de andere voet en wrong ze in haar handen. Ze keek niet naar haar klasgenoten die achter haar zaten te grinniken. Op zijn beurt keek professor Edwards niet naar Julia. Hij sloeg de bladzijden met een scherpe beweging van zijn pols om. Soms knikte hij, maar nog vaker schudde hij zijn hoofd.

Edwards was jonger dan de meeste van Julia's professoren, waarschijnlijk ergens halverwege de dertig, maar boven op zijn hoofd had hij een piepklein kaal plekje waar de meiden het vaak over hadden. Niet omdat het hem minder aantrekkelijk maakte, want je kon er niet omheen dat professor Edwards uitermate aantrekkelijk was, maar omdat ze wisten dat ze dat als wapen konden gebruiken als hij ooit probeerde avances te maken.

Professor Edwards stond erom bekend dat hij weleens ongepaste opmerkingen maakte. Het was een van die tips die werden doorgegeven aan nieuwe studenten: 'Niet onder de boog door lopen, anders haal je geen diploma', 'SAE staat niet voor Sigma Alpha Epsilon, maar voor Seksisten, Aanranders, Etterbakken', 'Zorg dat je niet alleen bent met professor Edwards, tenzij je zit te wachten op opmerkingen over hoe mooi je bent, wat een lekker kontje je hebt, hoe perfect je borsten zijn of hoe dicht zijn appartement bij de campus is'.

'Hoe heten die monniken ook alweer die hun hoofd op een ring van haar na kaalscheren?' had Nancy Griggs gevraagd nadat ze die tip hadden gekregen van een laatstejaars.

'Franciscanen?' had Julia gegokt. Haar moeder had het vast wel geweten, maar als ze haar in vertrouwen had genomen, zou haar vader waarschijnlijk met een jachtgeweer naar de klas zijn gekomen.

'Precies, ja,' had Nancy geantwoord. 'Wanneer hij je probeert te versieren, moet je vragen of hij een franciscaan is, vanwege die kale plek op zijn hoofd.'

Wannéér, niet áls.

Alle meiden dachten dat professor Edwards een oogje op Julia had.

In werkelijkheid had hij nog nooit toenadering gezocht, maar hij hoefde ook niets te zeggen over haar kont of borsten, want zijn blik sprak boekdelen. Het treurigste was nog wel, behalve dan dat hij ermee wegkwam, dat hij een goede docent was. Op de middelbare school had Julia het op haar sloffen afgekund om goede cijfers te halen voor haar essays, maar Edwards daagde haar uit om meer moeite in haar werk te steken. Hij prikte dwars door haar trucjes heen, herschreef haar zinnen en legde haar uit waarom. Door hem wilde ze alsmaar beter worden.

Maar tegelijkertijd voelde ze zich extreem opgelaten door hem.

Eindelijk keek Edwards op van haar essay. 'De insteek bevalt me wel, maar je zult zelf ook wel weten dat er nog veel aan moet gebeuren.'

'Ja, meneer.'

Hij hield haar blik vast. Haar essay lag nog steeds op het spreekgestoelte en hij had er een van zijn grote handen op gelegd, voor het geval ze zou proberen het te pakken.

Julia vouwde haar handen ineen. Haar wangen waren rood en het zweet brak haar uit. Ze stond niet graag in het middelpunt van de belangstelling, en het ergste was nog wel dat ze vermoedde dat professor Edwards dit doorhad en haar ermee kwelde, gewoon omdat het kon.

'Goed.' Hij klikte met zijn balpen en begon de bladzijden te markeren met snelle halen die dwars door het papier sneden. 'Dit kan weg.' Hij zette een kruis door twee alinea's waar Julia uren op had gezwoegd. 'En dit…' Hij omcirkelde een andere alinea en trok een pijl naar de bovenkant van de pagina. 'Dit kan hierheen, en dit daarheen. Trouwens, die alinea op de laatste bladzijde kun je beter naar het begin verplaatsen, hier ongeveer. Dit is overbodig, en dit ook. Dit kan ermee door, maar het kan beter.'

Tegen de tijd dat hij klaar was, had zowel Julia als haar essay veel weg van een klok van Escher die de wanhoop in tolde.

'Begrepen?' vroeg Edwards.

'Ja, meneer.' Ze had de boodschap begrepen: ze zou nooit meer te laat komen voor een van zijn colleges.

Toen ze het essay weer wilde aanpakken, hield hij het een tel langer vast dan nodig. Zodoende ritselden de pagina's op het moment dat ze ze eindelijk aan zijn greep wist te ontworstelen. Onderweg naar haar zitplaats deed ze alsof ze zijn aantekeningen doornam. Ze voelde dat Edwards haar nauwlettend gadesloeg en er ontsnapte zelfs een vreemde grom uit hem toen ze ging zitten, alsof hij het begin van een nummer van Al Green nadeed.

Julia zat aan een tafeltje tegenover Veronica Voorhees, met wie ze een salade zou delen, maar die nu al meer dan de helft had opgegeten. Het kon Julia niks schelen. Haar maag was nog van streek door die toestand met professor Edwards – niet die aan het begin van het college, maar nadat het college was afgelopen.

Julia was als laatste in de collegezaal overgebleven. Opeens had Edwards achter haar gestaan, zo dichtbij dat ze zijn hete adem in haar nek kon voelen toen hij had gefluisterd: 'Extra studiepunten als je vanavond naar mijn college komt.'

'O,' had ze gezegd, even uit het veld geslagen door zijn nabijheid. 'Oké.'

'South Campus. Misschien kunnen we na afloop koffie gaan drinken en nog even verder praten over je essay.'

'N-Natuurlijk,' had ze gestotterd als een idioot.

Daarna had ze zijn hand over haar billen voelen glijden,

met evenveel ontzag als ze had gezien bij mannen die op een veeveiling met hun hand over de flank van een dier streken.

Pas twee verdiepingen lager begonnen de 'had ik maars'. Had ik zijn hand maar weggeslagen. Had ik hem maar gevraagd wat hem bezielde. Had ik maar gezegd dat hij me met rust moest laten, dat hij walgelijk en wreed was; dat hij een heel goede docent was, dus waarom moest hij het verpesten door zo'n engerd te zijn?

'Waar zit je met je gedachten?' vroeg Veronica. Er viel een stukje sla uit haar mond.

Het deed Julia denken aan hoe Mona No-Name had gegeten op de eerste dag dat ze naar de opvang was gekomen. Ze had haar mond zo vol gepropt dat ze zich verslikt had.

Mona. Door haar pietluttige problemen met professor Edwards was Julia het vermiste dakloze meisje helemaal vergeten.

Was Mona echt vermist? Was ze echt door een man van straat geplukt en een busje in gesleurd? Was datzelfde busje vijf weken geleden ook achter Beatrice Oliver gestopt? Wie beide vrouwen – of een van hen – ook had meegenomen, hij wist wat hij deed. Hij was geen boeman of wolf uit de verhaaltjes. Hij was een haai met vlijmscherpe tanden die hulpeloze vrouwen onder water trok en meesleurde naar een donker plekje waar hij hen kon verslinden.

'Julia?' Veronica klopte op de tafel om haar aandacht te trekken. 'Zit je soms ergens mee?'

'Ik ben gewoon moe.' Om maar iets omhanden te hebben, nam Julia een hap van haar tosti. Ze probeerde het beeld van de haai van zich af te zetten door weer aan professor Edwards te denken.

Als ze er melding van deed, zou Edwards zijn kant van het verhaal mogen vertellen, en Julia twijfelde er niet aan dat hij dan zijn woordje klaar zou hebben. In gedachten nam ze door wat hij zou zeggen: *Ze is boos omdat ik haar een laag cijfer heb gegeven voor haar essay. Ze wil het me betaald zetten omdat ze heeft geprobeerd me te verleiden en ik nee heb gezegd. Ze is gek. Ze is een trut. Ze is een leugenaar. Ze heeft al vaker in de nesten gezeten.*

Dat laatste was waar. Vorig jaar was Julia opgepakt door de campuspolitie. Een paar laatstejaars bij de *Red & Black* hadden Julia uitgedaagd om verder te gaan dan een vernietigend opiniestuk schrijven over de agrarische faculteit die zich bezighield met genetisch gemodificeerde organismen. Pas nadat ze hadden ingebroken in het lab en daar wat apparatuur hadden vernield, was het tot haar doorgedrongen dat zij de enige was die geen speed had gebruikt.

'Hun pupillen zijn nog groter dan mijn pik,' had de campusagent tegen zijn partner gezegd.

Hoewel Julia nog nooit een penis in het echt had gezien, had ze er niet aan getwijfeld dat hij gelijk had. In het licht van zijn zaklamp had ze duidelijk kunnen zien dat haar metgezellen zo stoned waren als een garnaal.

'Hé, schoonheid!' Ezekiel Mann dook achter Julia's stoel op en legde zijn klamme handen op haar schouders. 'Waar ging je laatst nou opeens naartoe?'

Julia was helemaal nergens naartoe gegaan, maar toch zei ze: 'Sorry.'

'Geen probleem.' Zijn vingers priemden in haar huid. 'Heb je tijd om een potje te poolen?'

Nog voordat hij uitgepraat was, stond Julia al op. Ze was wel genoeg betast voor vandaag.

'Dames gaan voor.' Hij drukte haar een keu in de hand.

Julia nam de keu aan, want er keken mensen naar hen en ze wilde niet onbeschoft overkomen. Hoewel ze van haar oma heel goed had leren poolen, stootte ze zelfs bij de makkelijkste ballen expres mis om Ezekiel niet voor schut te zetten. Het enige lichtpuntje was David Conford, die op een van de gestoffeerde banken zat en als een ware professional verslag uitbracht van het potje.

'Julia Carroll, een jonge meid met een gretige blik in haar ogen, leunt over de tafel. Gaat ze voor groen of gaat ze voor blauw?' Hij zweeg even om een slok cola te nemen en viel uit zijn rol. 'Weet je, Julia, je bent hier echt heel slecht in.'

'Ze is mooi,' bemoeide Ezekiel zich ermee. 'Wat maakt het uit als ze nergens goed in is?'

Julia veranderde van houding en stootte zowel de groene als de blauwe bal in de hoekpocket.

'Wat een afgang voor Ezekiel Mann!' David klapte in zijn handen. 'De underdog weet het publiek te verbazen.'

Tot Davids grote genoegen wist Julia ook de vier laatste ballen te potten en stootte ze tot slot de zwarte bal in de middenpocket, terwijl Ezekiel haar met open mond aangaapte en op zijn keu leunde alsof het een miniatuurversie van een springstok was.

Julia ging naast David op de armleuning zitten. 'Dat was leuk.'

Ezekiel kwakte zijn keu in het rek en beende ervandoor.

Lachend keek David zijn vriend na. Tegen Julia zei hij: 'Hé, Fast Eddie, zeg het de volgende keer even als je weer tegen hem gaat spelen, dan kan ik er geld op inzetten.'

Ze schoot in de lach, want David was zo'n jongen die de lach aan zijn kont had.

'Ik hoorde dat Michael Stipe vanavond naar de Manhattan komt,' merkte hij op.

'Juist.' Er deden elke dag wel geruchten de ronde dat de leadzanger van R.E.M. 's avonds of in het weekend in een of andere bar zou zijn of dat hij daar misschien al was. 'Ik dacht dat hij op tournee was.'

'Ik zeg alleen wat ik gehoord heb, schat.' David stond op van de bank. 'Misschien zie ik je daar wel.'

'Misschien,' zei Julia puur uit beleefdheid.

Het Student Center liep langzaam leeg, en ook Julia pakte haar tasje en haar boekentas. In plaats van op de fiets te stappen, ging ze naar het kantoor van de *Red & Black* een paar gebouwen verderop. Dat ze zichzelf had toegestaan om te winnen met poolen had haar een oppepper gegeven, en daar wilde ze gebruik van maken om haar voorstel voor een artikel over Beatrice Oliver uit de doeken te doen.

Door de achtentwintig afdrukken die haar moeder op de keukentafel had klaargelegd, wist Julia precies waar haar praatje om moest draaien. Mensen zeiden altijd dat ze harde feiten wilden, maar eigenlijk kwam het erop neer dat ze bang gemaakt wilden worden. Deze meisjes waren stuk voor stuk heel normaal. Heel onschuldig. Heel herkenbaar. Ze hadden je moeder, je nicht of je vriendin kunnen zijn.

Een dochter verdwijnt uit een bioscoop. Een zus verdwijnt op een braderieterrein. Een geliefde tante rijdt weg in haar auto en wordt nooit meer teruggezien. Julia wist waar het om draaide bij het verhaal van Beatrice: dezelfde details die haar al wekenlang niet loslieten.

Een beeldschoon meisje is verdwenen terwijl ze ijs ging halen voor haar zieke vader...

Met een glimlach herhaalde Julia dat zinnetje telkens in haar hoofd, terwijl ze door de lange gang naar de redactie van de *Red & Black* liep. Het volgende moment moest ze hoesten door de rook die door de openstaande deur de gang in walmde. Hoewel iedereen hier pretendeerde verslaggever te zijn, zou niemand een artikel wijden aan de gevaren van meeroken, aangezien hun mentor nog eerder met vervroegd pensioen zou gaan dan dat hij zijn Marlboro Red zou opgeven.

Mr Hannah noemde de redactiekamer 'de stierenwei', wat volgens Julia een verkapte manier was om te zeggen dat hij niet van plan was om de papieren op te ruimen die op zijn bureau, in de hoeken en in de uitpuilende boekenkasten opgehoopt lagen.

Julia vond de rommel heerlijk. Ze genoot van de stank van nicotine, inkt en dat rare blauwe spul dat uit de stencilmachine kwam. Ze hield van het geklik van de telex, het zoemen van de printer, het gesis van lijmspray, het zoevende geluid van de papiersnijder en het gebrom van de twee Macintosh-computers op de lange tafel achter in de ruimte. Bovenal was ze dol op Mr Hannah, omdat hij bij *The New York Times*, *The Atlanta Journal-Constitution* en de *LA*

Times had gewerkt, voordat hij zoveel mensen tegen zich in het harnas had gejaagd dat hij zijn grote mond alleen nog maar kon opentrekken binnen de academische wereld.

'Een vaste aanstelling,' zo zei hij vaak, 'is het laatste bolwerk van de vrijheid van meningsuiting.'

Ondanks zijn sjofele, onverzorgde voorkomen had Mr Hannah het best goed voor elkaar in Athens. De faculteit Journalistiek stond landelijk goed bekend, wat fantastisch was voor ouders die niet extra wilden betalen voor een studie buiten de staat, maar juist vreselijk voor journalisten in de dop die ergens anders wilden wonen dan in het stadje waar ze opgegroeid waren.

Toen Julia binnenkwam, glimlachte Mr Hannah. 'Ha, daar zul je die mooie meid van me hebben.' Op de een of andere manier klonk het uit zijn mond als een teken van genegenheid, niet als een griezelige versierpoging. 'Waar is mijn meeslepende verhaal over de aanstaande privatisering van de studentenmaaltijden?'

Julia overhandigde hem het artikel.

Hij las het vluchtig door terwijl het licht van de plafondlamp haar getypte woorden in de glazen van zijn bril weerkaatste.

'Kan ermee door,' zei hij, wat voor zijn begrippen een enorm compliment was. 'Wat heb je verder nog voor me? Ik wil nieuws horen.'

'Nou, ik zat te denken,' begon Julia. Ze voelde de openingszin die ze zojuist had bedacht alweer wegglippen. 'Een meisje... Een beeldschoon meisje was... en...'

Mr Hannah vouwde zijn handen in elkaar. 'En?'

'En?' Haar schedel voelde aan als een lege tupperware-bak. Ze trilde van de zenuwen en had het gevoel dat ze elk moment in tranen kon uitbarsten.

'Julia?'

'Ja.' Ze schraapte haar keel. Haar tong leek te zijn veranderd in een zak vol nat zout. Omdat ze feiten belangrijk vond, besloot ze het daarbij te houden. 'Er is een meisje verdwenen. Ze woont – woonde – ongeveer een kwartier hiervandaan.'

'En?'

'Nou, ze is weg. Ontvoerd. De rechercheur die de zaak behandelt zei –'

'Waarschijnlijk is ze ervandoor gegaan met een vriendje,' onderbrak iemand haar.

Julia keek over Mr Hannahs schouder. Greg Gianakos. Lionel Vance. Budgy Green. Hun hoofden staken boven de scheidingswand uit alsof ze prairiehondjes waren. Allemaal hadden ze een sigaret aan hun lippen bungelen en zagen ze eruit alsof ze hard op weg waren om net zo vadsig te worden en net zo wazig uit hun ogen te kijken als hun mentor. Het enige verschil was dat in hun blik niets van Mr Hannahs vriendelijkheid te bespeuren was.

'Let maar niet op hen, meisje,' moedigde Mr Hannah haar aan. 'Geef me een verhaal dat ik op de voorpagina kan zetten.'

'Oké,' zei Julia, alsof het zo makkelijk was om weer net zo zelfverzekerd te worden als eerst. Wat was de kern van het verhaal over Beatrice Oliver? Wat was de juiste invalshoek? Julia dacht aan de doodsangst die haar had overvallen toen ze op de telex had gelezen dat het meisje ontvoerd was. Aan het gejaagde gevoel dat ze vanmorgen had gehad op de straten die haar net zo vertrouwd waren als haar ouderlijk huis. De vrees die ze had gevoeld bij het lezen van de artikelen in haar moeders keuken. Ze moest Mr Hannah duidelijk zien te maken wat haar nou echt zo erg dwarszat aan de ontvoering van Beatrice Oliver. Niet alleen dat het meisje van straat was geplukt of dat ze door iemand werd vastgehouden, maar waarom het überhaupt gebeurd was.

Dus zei ze tegen Mr Hannah: 'Verkrachting.'

'Verkrachting?' vroeg hij verbaasd. 'Wat is daarmee?'

'Ze is verkracht,' verduidelijkte Julia. Waarom zou een man anders een vrouw twee straten bij haar ouderlijk huis vandaan meenemen? Waarom zou hij haar anders ergens vasthouden?

'Heb je het over Jenny Loudermilk?' Greg Gianakos stond op van zijn bureau en sloeg zijn armen over elkaar voor zijn brede borst. 'Daar kun je niet meer dan één alinea uit persen.'

Julia haalde haar schouders op, maar alleen omdat ze geen idee had wie Jenny Loudermilk was.

Mr Hannah kennelijk ook niet. 'Praat me even bij.'

'Eerstejaars,' zei Greg, ook al was Mr Hannahs verzoek aan Julia gericht. 'Knappe blondine. Verkeerde tijd, verkeerde plaats.'

Lionel Vance bemoeide zich er ook mee. 'Ik heb gehoord dat ze iets te diep in het glaasje had gekeken. Het grootste gedeelte van de avond had ze Pabst Blue Ribbon zitten drinken.'

'Ja, iedereen weet dat eerstejaars van goedkope drank houden.' Greg was duidelijk geïrriteerd omdat iemand met zijn verhaal op de loop ging. 'Hoe dan ook, dat meisje sjokte over Broad Street en een of andere kerel sleurde haar mee een steeg in en verkrachtte haar.'

Mr Hannah klopte op zijn zakken om zijn sigaretten te zoeken. 'Niemand wil lezen over verkrachting. Je kunt beter zeggen dat ze belaagd of aangevallen is, of bedreigd, als ze tenminste niet is geslagen.' Aan Julia vroeg hij: 'Is dat het verhaal dat je wilde vertellen?'

'Nou, ik –'

'Ze zal je niet te woord willen staan,' zei Lionel. 'Dat willen de slachtoffers nooit. Maar goed, wat is je verhaal? Een meisje wordt dronken en gaat er met de verkeerde vent vandoor? Zoals Greg al zei, daar kun je nauwelijks een alinea over schrijven. Ik zou het niet eens op het achterblad plaatsen.'

Mr Hannah stak zijn sigaret op en richtte zich opnieuw tot Julia. 'Mee eens? Oneens?'

'Ik denk –'

'Dit is een uitzondering,' onderbrak Greg haar. 'Als je wilt beweren dat het in de wereld opeens barst van de verkrachters, dan heb je het mis. Trouwens, een universiteitscampus is statistisch gezien een van de veiligste plekken die er zijn.'

Mr Hannah blies een wolk rook uit. 'Statistisch gezien, dus?'

Greg vervolgde. 'Hoor eens, Jules. Laat je niet beheersen door je emoties. Wat Jenny is overkomen had niet mogen gebeuren, maar een verslaggever richt zich alleen op de feiten, en die zul je hier zeker niet ontdekken. Het slachtoffer is de stad al uit, de dader zal er natuurlijk met geen woord over reppen en de politie gaat niet in op zaken die nooit voor de rechter zullen komen.'

Julia drukte haar nagels in haar handpalmen en dacht aan de stapel afdrukken in haar tas. Het liefst zou ze die Greg onder zijn zelfingenomen smoelwerk duwen, maar daarmee zou ze alleen zijn punt bevestigen. Achtentwintig vrouwen in een staat met bijna zesenhalf miljoen inwoners, dat was niet bepaald indrukwekkend.

Het leek wel of hij haar gedachten kon lezen. 'Jenny Loudermilk was slechts één van de ongeveer vijftienduizend vrouwelijke studenten. Dat is een uitschieter.'

'Het wordt niet altijd gemeld,' probeerde Julia.

'Omdat de helft van die vrouwen dronken was en halverwege van gedachten veranderde.'

'In de krant, bedoelde ik.' Het schoot haar te binnen dat de artikelen over vermiste vrouwen gingen, niet over vrouwen die waren verkracht, belaagd of aangevallen. 'Maar ze stappen ook niet altijd naar de politie. Of naar wie dan ook.'

'Daar is een goede reden voor.' Greg stak een sigaret op. 'Dit is het verhaal: de campus is voor vrouwen veiliger dan ooit. De wereld is voor vrouwen veiliger dan ooit.'

'Is dat zo?' Mr Hannah sloeg zijn armen over elkaar. Op zijn gezicht was een maniakale grijns te zien. 'Kom dan maar eens met bewijzen, kanjer. Laat die statistieken maar eens zien die aantonen dat de wereld er veiliger op is geworden voor vrouwen. Dat jij de wereld er geweldig uit vindt zien door je Viewmaster, telt niet.'

'Komt voor elkaar.' Greg liep naar een van de Macintoshes achter in het vertrek, zette de computer aan en ging zitten. 'Alle misdaadcijfers van de afgelopen tien jaar staan op floppydisks.'

'Tegen de tijd dat je dat ding hebt opgestart, ben ik al gestorven aan ouderdom.' Mr Hannah stond op, zodat hij voor de metalen planken bij zijn bureau stond, en streek met zijn vinger langs de rug van meerdere boeken, tot hij had gevonden wat hij zocht. 'De FBI is door het Congres verplicht gesteld om minstens één keer per jaar alle relevante informatie over criminaliteit te verzamelen bij een aantal politiediensten verspreid door het hele land.' Hij plukte een paar boeken van de plank. 'Het recentste verslag dat ik hier heb is van 1989.'

Met die woorden overhandigde hij een van de boeken aan Julia.

'Budgy,' riep hij naar de enige jongen die zich er tot nu toe buiten had gehouden. 'Loop eens naar het schoolbord. We hebben iemand nodig die geen Engels studeert om het een en ander uit te rekenen. Julia…' Hij knikte even naar haar. 'Inwonertal van de Verenigde Staten in 1989?'

Ze sloeg het boek open en bladerde door de index. Nadat ze de juiste pagina had gevonden, las ze voor: '252.153.092 inwoners.'

'Deel dat door twee, Budgy. Mannen tellen even niet mee.'

'Niet door twee,' wierp Budgy tegen. 'Iets minder dan eenenvijftig procent van de bevolking is vrouw.'

'Proost.' Mr Hannah tikte de as van zijn sigaret af in een

beker van piepschuim. 'Deel die eenenvijftig procent maar door twee, want over minderjarigen worden geen gegevens bijgehouden.'

Even dacht Julia dat ze hem verkeerd had verstaan. Ze keek naar het boek op haar schoot en zocht naar de verklarende woordenlijst. *Onder verkrachting wordt tevens verstaan aanranding of poging tot verkrachting door middel van geweld of dreiging van geweld. Daarentegen zijn ontucht met een minderjarige (zonder dwang) en andere zedenmisdrijven uitgesloten.*

'Deel dat getal nog maar eens door twee,' merkte Greg op. 'Zeker de helft van die vrouwen krijgt achteraf pas spijt.'

'Wacht even.' Mr Hannah stak zijn hand op, als een scheidsrechter die een overtreding signaleerde. 'Schattingen zijn niet toegestaan. Ik stel voor dat we bij de feiten blijven.' Tegen Julia vervolgde hij: 'Dus in je artikel komt te staan dat deze cijfers ontleend zijn aan de Uniform Crime Reports van de FBI, nietwaar?'

Julia knikte, al voelde dit al een tijdje niet meer als haar artikel.

Mr Hannah vervolgde: 'Aantal aangiftes van verkrachting in 1989? Julia?'

'O, sorry.' Ze zocht naar de juiste kolom. 'Gewelddadige verkrachtingen: 106.593.'

'Goed. 106.593,' herhaalde Mr Hannah om er zeker van te zijn dat Budgy het correct noteerde. 'Dat zal wel min of meer overeenkomen met de afgelopen vijf jaar, maar dat moeten we nog verifiëren.'

Verbijsterd staarde Julia naar het getal op het schoolbord.

In Athens-Clarke County woonden minder dan honderd-duizend mensen. Dit ging om meer personen dan iedereen die hier in de stad woonde – mannen, vrouwen en kinderen.

'Kom op, Budgy. Rekenen maar.' Mr Hannah klapte in zijn handen om Budgy aan te sporen. 'Opschieten, knul. We hebben niet de hele dag de tijd.'

Julia controleerde het getal nog een keer, ervan overtuigd dat ze het verkeerd moest hebben gezien. Daar stond het: 106.593. Ze staarde naar de cijfers tot ze wazig werden voor haar ogen. Meer dan honderdduizend vrouwen. Dat waren alleen nog maar de vrouwen die meerderjarig waren geweest en die daadwerkelijk aangifte hadden gedaan. Die met geweld waren bedreigd. Wat waren die andere zedenmis-drijven, die niet meetelden? Hoe zat het met de vrouwen die niet naar de politie waren gegaan?

Waarom haalden dit soort misdaden alleen de krant als het meisje het niet meer kon navertellen?

'Hebbes.' Budgy onderstreepte het getal zo vaak dat zijn krijtje doormidden brak. 'Zoals het er nu voor staat, hebben vrouwen in de Verenigde Staten 0,0434 procent kans om belaagd te worden. Dat zijn er ongeveer drieënveertig op de honderdduizend.'

Mr Hannah was net zo goed op de hoogte van het inwo-nertal van Athens als Julia en vatte samen: 'Dus als je die cijfers toepast op ons eigen mooie stadje, zijn dat pakweg tweeëntwintig vrouwen per jaar, wat neerkomt op elke tweeënhalve week een incident.'

Julia klapte het boek dicht. Waren Beatrice Oliver en Mona No-Name twee van die slachtoffers? Met Jenny Loudermilk erbij waren het er drie. Als je even buiten beschouwing liet dat het al maart was en dat er waarschijnlijk nog meer was gebeurd, betekende dit dat er nog minstens negentien vrouwen uit Athens verkracht zouden worden voordat 1992 aanbrak.

Dan sprong de teller weer op nul en begon het van voren af aan.

Greg wurmde zijn sigaret in een colablikje. 'Nog geen half procent, dat vind ik vrij weinig.' Hij sloeg zijn armen over elkaar. 'De kans dat je door de bliksem wordt getroffen of de loterij wint is nog groter.'

Budgy lachte. 'Weet je dat wel zeker, Einstein?'

'Bij wijze van spreken, dan.' Greg wuifde de sarcastische opmerking weg en vroeg aan Julia: 'Waarom wilde je dit artikel ook alweer schrijven? Dit gaat over honderdduizend mensen op bijna driehonderd miljoen inwoners, een druppel op een gloeiende plaat. Daar zit niemand op te wachten. Het is geen nieuws.'

Julia kreeg geen tijd om antwoord te geven.

'Hoe zit het met moord?' Lionel pakte het boek uit Julia's handen. 'Zullen we kijken naar moord? Ik wil weten hoeveel risico ik loop.'

'Best veel als je ouders erachter komen dat je een onvoldoende staat voor trigonometrie.' Budgy pakte het krijtje weer op. 'Oké, het inwonertal was dus 252 miljoen –'

'Aids,' zei Julia opeens.

Allemaal draaiden ze zich naar haar toe.

'Je zei dat het niet uitmaakte, omdat het maar om honderdduizend mensen gaat.' Ze dwong zichzelf om haar stem in bedwang te houden. 'In 1989 is er bij ongeveer datzelfde aantal mensen aids vastgesteld, en dat verhaal heeft op de voorpagina gestaan van *Time* en *Newsweek*. Er wordt elke dag over geschreven in de landelijke kranten, de president houdt er toespraken over, het Congres wijdt er hoorzittingen aan, de Americans with Disabilities Act zorgt ervoor dat –'

'Over aids hebben kun je niet liegen,' onderbrak Greg haar.

Er ging een verhitte vlaag van woede door haar heen. 'Als je dan toch wilt speculeren, ga er dan maar van uit dat het handjevol leugenaars ruimschoots wordt gecompenseerd door de vrouwen die nooit met hun verhaal naar buiten zijn getreden, de vrouwen die nog minderjarig waren toen het gebeurde en de vrouwen die niet zijn geslagen tijdens –'

'Het hoofd van de nationale gezondheidsdienst heeft aids aangemerkt als een epidemie,' ging Greg tegen haar in op een pedant toontje dat haar tot razernij dreef. 'Trouwens, je zegt niet dat er aids bij mensen wordt vastgesteld. Er wordt hiv vastgesteld, het virus dat aids veroorzaakt.'

Geheel tegen haar gewoonte in vloekte Julia binnensmonds.

Greg deed alsof hij haar niet hoorde. 'Verder gaan er mensen dood aan aids. Vrouwen gaan niet dood aan verkrachting.'

'Een deel van hun vagina wel,' merkte Lionel op.

'Hé!' Budgy gooide de bordenwisser naar zijn hoofd. 'Doe niet zo lullig.'

Aan Julia vroeg Mr Hannah: 'Wat is de openingszin?'

Deze keer hoefde ze daar niet over na te denken. "'Elk jaar overkomt zeker honderdduizend Amerikaanse vrouwen iets vreselijks, maar niemand lijkt ermee te zitten.'"

Greg snoof verachtelijk. 'Daar zullen ze bij *Cosmopolitan* vast van smullen.'

Met een handgebaar legde Mr Hannah hem het zwijgen op. 'Ga verder,' zei hij tegen Julia.

'Als er iets naars gebeurt dat voornamelijk mannen treft, is dat volgens de journalistiek een epidemie die landelijke aandacht verdient, maar als vrouwen iets naars overkomt –'

'Kom op, zeg,' kreunde Greg. 'Waarom gaat het altijd over hoe stom mannen zijn?'

'Het gaat er niet om –'

'We snappen het, hoor,' dramde Greg door. 'Je bent een feminist.'

'Ik zei niet –'

'Je hebt een hekel aan ons omdat we een lul hebben.'

'Onderbreek me niet steeds!' Het geluid van Julia's vuist die op het bureau neerkwam, galmde als een geweerschot door het vertrek. 'Ik heb geen hekel aan je omdat je een lul hebt. Ik heb een hekel aan je omdat je een lul bént.'

Het werd doodstil op de redactie.

Julia haalde haperend adem, alsof ze net kopje-onder was gegaan.

'Pak aan!' Lionel gaf Greg een stoot tegen zijn arm. 'Eén-nul voor de ijskoningin!'

'Ze heeft niet…' zei Greg. 'Het is niet…'

Julia stond op en beende naar de deur. Haar handen beefden. Ook al voelde ze zich bibberig en geïrriteerd, diep vanbinnen was ze ook een beetje trots op zichzelf. Wat een afsluiter!

'Hé.' In de gang haalde Mr Hannah haar in.

Julia draaide zich om. 'Het spijt me dat ik –'

'Goede verslaggevers bieden nooit hun excuses aan.'

'O,' zei ze, want er schoot haar niets anders te binnen.

'Ik wil het conceptartikel vrijdagochtend om tien uur op mijn bureau zien liggen.'

Julia's mond ging open, maar er kwam niets uit. Ze was weer gestopt met ademen. Haal nou adem, hield ze zichzelf voor.

'Gaat dat lukken?'

'Ja,' zei ze. 'Ik heb ook nog… Ik bedoel… Ik kan –'

'Schrijf het maar in je artikel. Twaalfhonderd woorden.'

'Twaalfhonderd woorden, dat is –'

'De voorpagina.' Hij knipoogde naar haar. 'Je kunt dit, meid.'

Ze keek hem na terwijl hij door de rookwalm heen weer de stierenwei in liep.

De voorpagina.

Zodra ze wegliep, sloeg de paniek toe. Ze legde haar vingers tegen haar hals en voelde haar hart tikken als een tijdbom. Haar blikveld versmalde tot het licht dat dertig meter verderop door de glazen deuren naar binnen viel.

Mr Hannah zei dat ze het kon, maar hoe dan? Het verhaal van Beatrice Oliver had hier niets mee te maken. Niet echt. Beatrice was verdwenen. Waarschijnlijk was ze ontvoerd, dat had die rechercheur immers gezegd, maar verder was het speculatie. Datzelfde gold voor de artikelen in Julia's tas over de achtentwintig vermiste vrouwen. Ze waren verdwenen, meer viel er niet over te zeggen. Ze waren jong, mooi, en ze waren spoorloos verdwenen.

Wat was de nieuwswaarde daarvan?

'Jezus,' mompelde ze. Het had geen nieuwswaarde. Of in elk geval niet genoeg.

Dat kreeg je er nou van als je zonder na te denken je mond opentrok. Ze was zo nerveus en boos geweest. Ze was het zo zat geweest dat ze telkens in de rede werd gevallen en niet serieus werd genomen. Greg had een losse opmerking aangegrepen om haar in een beladen politieke discussie te betrekken, terwijl ze alleen maar duidelijk had willen maken dat iets wel degelijk nieuwswaardig was als het elk jaar honderdduizend mensen overkwam.

Maar waarom had ze in vredesnaam gezegd dat aids alleen mannen trof, aangezien Delilah het tegendeel bewees?

Nee, ze had niet gezegd dat aids alléén mannen trof, maar dat aids voornámelijk mannen trof. Bovendien had ze niet beweerd dat verkrachting erger was dan aids, ze had alleen gezegd dat verkrachting ook vreselijk was, maar dat niemand erover wilde schrijven. Niemand wilde het beestje zelfs maar bij de naam noemen. *Belaagd. Aangevallen. Bedreigd.* Geen wonder dat Jenny Loudermilk de benen had genomen. Hoe zou een vrouw ooit kunnen vertellen wat voor vreselijks haar was aangedaan als het woord verkrachting niet eens mocht vallen?

Dát was het verhaal. Een misdaad zonder naam. Slachtoffers zonder stem.

Julia pakte een pen en een blocnote uit haar tas. Dit moest ze opschrijven, voordat ze het vergat.

'Alles kits achter de rits?'

Bijna liet ze haar pen vallen. Robin stond tegen de muur geleund met zijn handen in zijn zakken gestoken. Hij droeg een flanellen overhemd en een verwassen spijkerbroek, en zijn haar stond alle kanten op.

Julia voelde een onnozele grijns op haar gezicht doorbreken. 'Ik dacht dat je de hele week zou gaan kamperen.'

'Mijn zusje was haar puffer vergeten.' Hij grijnsde terug. 'Ze heeft nog genoeg om het tot vanavond vol te houden.'

'Dat is fijn. Ik bedoel, fijn dat je hem bent gaan halen.'

'Ik ben nog niet thuis geweest.' Hij boog zich naar voren en liet zijn voorhoofd tegen het hare rusten. 'Eerlijk gezegd hoopte ik al dat ik je tegen zou komen.'

Haar hart maakte een sprongetje. 'Hoe wist je dat ik hier was?'

'Ik heb een beetje rondgevraagd.'

'O.'

'Je ziet er mooi uit.'

Ze had haar haar moeten kammen, haar tanden moeten poetsen of iets mooiers moeten aantrekken. En twee kilo moeten afvallen, maar dat was haar oma's schuld.

'Moet je horen.' Robin pakte haar hand vast alsof hij iets van porselein bewonderde. 'Ik weet niet of het goed of slecht is dat ik dit zeg, maar mijn hele familie is nu in het bos en er is niemand thuis. Het duurt nog zeker twee uur voordat ze me terug verwachten, en ik zou heel graag wat tijd met je alleen willen doorbrengen.'

Ze knikte. Vervolgens maakte haar hart weer een sprongetje, omdat ze besefte waarom hij zo nadrukkelijk zei dat er niemand thuis was en hij twee uur de tijd had.

Met zijn neus raakte hij de hare aan. 'Lijkt je dat een goed idee?'

Weer was Julia sprakeloos, maar in dit geval was dat geen goed teken. Vanochtend was ze er nog zo zeker van geweest dat ze hieraan toe was, maar nu voelde ze een paniekaanval opkomen. Kon ze dit wel? Móést ze het wel doen? Zou Robin haar nog steeds willen als ze toegaf? En kon ze het wel toegeven noemen als ze het zelf ook wilde?

Want ze wilde dit. Zelfs door haar paniek heen voelde ze dat ze het wilde.

Betekende dit dat ze een verdorven meisje was, een vrijgevochten vrouw, een droogverleidster, of een slet? Dit ging om zoveel meer dan seks. Het ging erom of ze te ver zou gaan of niet ver genoeg, of ze wist hoe alles werkte of niet wist wat waarin moest.

Oké, dat sloeg nergens op. Natuurlijk kende ze de basis wel. Ze wist heus wel wat waarin moest, maar er waren ook nog andere dingen die je kon doen, die je kon gebruiken, die je kon aanraken, in je mond kon stoppen, waar je aan kon likken of op kon bijten. Of had haar zusje daarover gelogen? Het klonk namelijk nogal pijnlijk.

Ze moest het onder ogen zien: ondanks haar negentien lentes had ze geen idee waar ze mee bezig was. Ze verstopte de pil zelfs in een schoenendoos achter in haar kast, omdat ze niet wilde dat Nancy tegen iedereen zou zeggen dat ze er wel pap van lustte.

'Gaat het?' vroeg Robin.

Julia drukte een hand tegen haar hart, dat tekeerging van angst. Zelfs nu ze de pil slikte zou ze nog zwanger kunnen raken, en zelfs met een condoom zou ze nog iets vreselijks kunnen oplopen. Dan zou haar leven voorbij zijn en zou ze nooit haar naam boven een artikel in *The Atlanta Journal* zien prijken, of voor de camera verslag kunnen uitbrengen over een verwoestende tornado. Waarom zou ze überhaupt zo'n idioot risico nemen?

'Het geeft niet,' zei Robin met een half glimlachje. 'Als je het niet wilt –'

'Jawel. Ik wil het wel.'

16.20 uur – buiten het Tate Student Center,
University of Georgia, Athens

Julia's vingers trilden nog steeds toen ze in de telefooncel stond en een kwartje tevoorschijn haalde. Haar lippen waren gevoelig door Robins zoenen en haar borsten tintelden. Ze kon hem nog steeds in zich voelen. Het leek wel of er een groot neonbord boven haar hoofd hing waarop stond: JULIA CARROLL: GELIEFD.

Het liefst zou ze willen zingen. Of dansen. Of midden op de binnenplaats gaan staan en haar hoed hoog de lucht in gooien.

Nadat de telefoon twee keer overging nam Pepper op. 'Huize Carroll.'

'Hoi, met mij.'

'O, god, wat ben ik blij dat je belt.' Op gedempte toon vervolgde Pepper: 'Kun je me nog verstaan?'

Julia keek om zich heen, alsof er iemand mee zou luisteren. 'Wat is er?'

'Etterbakje moest nablijven.'

Op slag was ze Robin even helemaal vergeten. 'Dat meen je niet.'

'Jawel. Niks aan de hand verder, maar Angie Wexler wilde na schooltijd op de gang met haar vechten.'

Julia sloeg een hand voor haar mond. Arme Sweetpea.

'Heb geen medelijden met haar,' zei Pepper. 'Ze krijgt niet eens straf van papa en mama.'

Meteen ebde Julia's medeleven weer weg.

'Ze zei dat het kwam doordat Angie niet bij haar mocht afkijken tijdens scheikunde, maar eigenlijk heeft Angie Etterbakje betrapt toen ze met haar broer stond te zoenen. Die zeventien is en al een auto heeft.'

Julia was blij dat ze eindelijk meer ervaring met jongens had dan haar stomme jongste zusje. 'Is alles goed met haar?'

'Ze doet alsof ze zielig is, zodat papa en mama medelijden met haar hebben. Vanavond gaan ze gewoon uit eten bij Harry Bissett's.'

'Ik dacht dat mama de obers daar "te ironisch" vond.'

'Dit is Athens. Iedereen is ironisch. Waarom belde je eigenlijk?'

Julia plukte aan een stukje afgebladderde verf aan de telefoon. Opeens had ze een brok in haar keel en moest ze haar tranen wegknipperen. Waarom huilde ze nou?

'Gaat het wel?'

'Natuurlijk.' Julia veegde langs haar ogen. 'Vertel eens over je dag.'

Meteen hield Pepper een tirade over hun ouders, hun zusje en haar leraren op school.

Julia staarde naar de strakblauwe lucht. Hoewel ze Pepper had gebeld om haar over Robin te vertellen, wist ze niet meer zeker of ze wel klaar was om haar het nieuws te vertellen. Wat er tussen hen was gebeurd was bijzonder, romantisch, mooi en opwindend geweest, en ze wist vrijwel zeker dat ze een orgasme had gekregen. Maar erover roddelen voelde verkeerd, zeker vanuit een telefooncel. Ze zou het volgende maand wel aan Pepper vertellen, wanneer het meer dan eens was gebeurd en ze er zeker van was dat ze een orgasme had gekregen. Ze zou het tussen neus en lippen door zeggen: 'O, dát. Ja, natuurlijk hebben we dát al gedaan.'

'Maar goed,' zei Pepper, 'dat rare meisje dat altijd zo staart komt huiswerk maken met Etterbakje. Ik denk dat ik maar ga repeteren met de band.'

'Ik ga waarschijnlijk naar de Manhattan,' zei Julia, want Robin had gezegd dat hij vanavond, nadat zijn ouders in slaap waren gevallen, misschien zou kunnen wegglippen. In de buurt van de boswachtershut was er een openbare telefoon. Hij zou een berichtje met drie enen naar Julia's pieper sturen als hij kon komen, en drie tweeën als hij niet kon komen. De gedachte dat ze in haar studentenkamer zou moeten wachten tot haar pieper afging, was ondraaglijk.

'Hé, hallo, aarde aan Julia. Ben je er nog?' Pepper klonk geïrriteerd. 'Ik vroeg of jij mijn armbanden hebt geleend.'

Julia bracht haar pols omhoog, waardoor de zilveren en zwarte armbanden langs haar arm naar beneden gleden. 'Ik zou even in de kamer van Etterbakje kijken.'

'Dat doe ik straks wel. Ze is nogal van streek.' Pepper dempte haar stem weer. 'Als je het maar weet, ik ga vanavond naar het huis van Angie Wexler om die snotneus de stuipen op het lijf te jagen. En dat stomme pedofiele broertje van haar ook.'

'Goed zo.' Julia ging met haar hoofd tegen de wand geleund staan. Pepper was er veel beter in dan zij om mensen te intimideren. Zelf hield ze zich liever afzijdig en moedigde ze liever Pepper stilletjes aan. 'Zeg, vraag jij je weleens af wat er met ons zal gebeuren als we oud zijn?'

Pepper liet een verbaasd lachje horen. 'Hoe kom je daar nou bij?'

Dat wist Julia wel. Het kwam doordat Robin haar had vastgehouden, doordat ze had gezien hoe hij naar haar keek. Doordat hij had gezegd dat hij het werk in de bakkerij leuk vond en als het niets werd met zijn carrière als kunstenaar, hij zich best kon voorstellen dat hij zou gaan samenwerken met zijn vader en zijn eigen zoon misschien op een dag het vak zou leren.

Zijn eigen zoon.

Die zou Julia hem kunnen geven. Die zou ze hem graag willen geven. Wanneer ze eraan toe waren, dan.

Tegen Pepper zei ze: 'Nou, hoe denk je dat ons leven er over twintig jaar uit zal zien?'

'Dan hebben we het over aambeien en wisselen we tips uit over hoe we ons kunstgebit schoon kunnen houden.'

'Doe niet zo raar, joh. Dan zijn we net zo oud als mama nu.'

'Die draagt orthopedische schoenen.'

Julia kreunde. Haar zusje had gelijk, maar zij waren te cool om op die manier oud te worden.

Toen zei Pepper: 'Tegen die tijd ben jij getrouwd met een geweldige man die van je houdt, en ben ik gescheiden van een klootzak die me in de steek heeft gelaten toen zijn muziekcarrière van de grond kwam.'

Daar moest Julia om glimlachen, want Pepper zou weleens gelijk kunnen hebben. 'Dan is Etterbakje vast getrouwd met een of andere computernerd die aan haar voeten ligt en minstens een half miljoen dollar op zijn bankrekening heeft staan.'

'En waarschijnlijk zou ze hem bedriegen met mijn waardeloze ex.'

'Misschien word jij wel het kreng dat haar man in de steek laat omdat jóúw muziekcarrière van de grond komt.'

'Misschien,' zei Pepper, maar ze klonk niet overtuigd.

'Moet je horen.' Julia keek om zich heen of er niemand kon meeluisteren. 'Even over die coke...'

'Ik weet het.'

Nee, ze wist het niet. Julia had het vaker zien gebeuren. Eerst met een vriendin op de middelbare school, daarna met een eerstejaars die was gestopt met haar studie en bij de daklozenopvang terecht was gekomen. 'Nu is het misschien nog leuk, maar het kan heel snel bergafwaarts gaan.'

'Maak je geen zorgen, we hebben een geweldige daklozenopvang hier in de stad.'

'Lydia.'

Pepper viel stil. Niemand noemde haar ooit bij haar echte naam. 'Ik kan maar beter ophangen. Ik heb aan Hare Koninklijke Hoogheid beloofd om haar warme chocolademelk te brengen.'

'Geef haar een kus van me.'

Pepper maakte een smakkend geluid en hing op.

Julia bleef nog lang met haar hand op de hoorn staan. Pepper hield van cocaïne. Na dat beruchte feestje had ze het nog twee keer gebruikt. Ook hield ze van pillen, tijd spenderen met de band en in een roes terechtkomen, zeker wanneer er een leuke jongen bij was.

Toch zou het geen probleem worden, daar zou Julia wel voor zorgen. Haar zusje was een vrijgevochten type. Dit was slechts een fase, net als toen Julia alleen maar oranje kleding aan wilde of Etterbakje alleen erwtjes wilde eten.

Ze deed haar ogen dicht en liet zich overspoelen door een toekomstbeeld: ze zat op de veranda achter het huis aan Boulevard. Pepper en Sweetpea zaten op het trapje te kaarten, haar ouders zaten in hun schommelstoelen en er renden kinderen in de tuin. Hún kinderen, die van Pepper, Julia en zelfs Etterbakje – haar jongste zus zou één voorbeeldig kind krijgen dat uiteindelijk een geneesmiddel tegen kanker zou ontdekken, kort nadat ze een derde termijn als president van de Verenigde Staten had afgeslagen.

Julia wilde dat haar kinderen een goede band zouden krijgen met de kinderen van haar zussen. Ze wilde dat zij zich net zo verbonden zouden voelen met hun familie als zijzelf. Net zo veilig. Net zo geliefd. Er gebeurde nooit iets naars met mensen die een goede band met hun familie hadden. Misschien had het daar wel aan geschort bij Beatrice Oliver. In het eerste telexbericht had gestaan dat het meisje enig kind was. Zou het niet anders zijn gegaan als ze zusjes had gehad? Zou een zus niet met haar meegegaan zijn om ijs te halen, om zich te beklagen over wat er die dag op school was gebeurd? Zou een klein zusje niet hebben doorgedramd tot ze ook mee mocht?

Julia kon zich de slapeloze nachten van Beatrice' moeder, waarin ze in bed lag te piekeren, maar al te goed voorstellen. *Was ik maar zelf naar de winkel gegaan. Had ik haar maar met de auto gebracht. Hadden we maar meer kinderen gekregen, zodat het verlies van dit ene kind verzacht zou worden door de anderen.*

Kon zo'n verlies eigenlijk wel verzacht worden? Julia kon zich niet voorstellen hoe het zou zijn om een kind te verliezen. De keren dat hun een geliefd huisdier was ontnomen, al was het maar een woestijnrat of een fret, was hun hele gezin, inclusief haar moeder, daar kapot van geweest. Dan huilden ze voor de tv, zaten ze snikkend aan de eettafel en knuffelden ze alle overgebleven honden en katten, alsof die een grote, harige deken waren.

Om Mona No-Name zou niemand rouwen. Behalve Julia dan, wier fantasie met haar op de loop ging. Werd Mona ergens vastgehouden, net als Beatrice Oliver? Of had Mona's situatie meer weg van die van Jenny Loudermilk, het meisje dat na haar verkrachting had besloten dat het makkelijker was om gewoon maar te verdwijnen?

Was het niet zo dat een deel van een meisje vanzelf verdween als er zoiets ergs gebeurde? Zorgde een verkrachter er niet voor dat het meisje, evenals de vrouw die ze ooit zou worden, plaatsmaakte voor iemand die de rest van haar leven bang was? Zelfs als Beatrice Oliver werd bevrijd, zelfs als ze nog leefde, hoe kon ze dan nog naar huis nadat ze verkracht was? Hoe kon ze haar vader ooit nog recht in de ogen kijken? Hoe kon ze de rest van haar leven niet telkens in elkaar krimpen wanneer een man, zelfs een goede man, naar haar keek?

Julia veegde een traan weg. Misschien had Greg Gianakos wel gelijk en stonden emoties een verhaal alleen maar in de weg.

Haar fiets stond nog steeds in het rek, maar ze kreeg die rotsleutel niet in het verroeste slot. Julia stopte haar handen in haar zakken en beende terug naar haar studentenhuis. Hoveniers waren bezig met een gedeelte van het gazon dat vernield was door een groepje rugbyers. Met een grote boog liep Julia om de mannen heen, terwijl ze haar adem inhield omdat de geur van mest haar neusgaten binnendrong. In gedachten probeerde ze de rest van haar avond uit te stippelen. Ze zou net zo goed in de bibliotheek kunnen overnachten, want ze moest nog leren voor haar psychologietentamen, haar essay over Spenser herschrijven en meer statistieken opzoeken voor haar artikel. Haar voorpagina-artikel. Jeetje, wat had ze zich op de hals gehaald? Een concept inleveren op vrijdag? Ze mocht van geluk spreken als ze dan een ruwe opzet zou hebben.

'Ga je nog terug?' vroeg Nancy, die uit het niets opdook. Ze lachte toen ze Julia zag schrikken. 'Ik ben het maar, gekkie.'

'Zullen we vanavond uitgaan?' Het leek Julia een goed idee om haar zorgen tot morgen uit te stellen. 'Ik hoorde dat Michael Stipe naar de Manhattan komt.'

Met samengeknepen ogen keek Nancy haar aan. 'Ik hoorde dat hij naar de Grit zou komen. Of was het nou de Georgia Bar?'

'Als hij er niet is, kunnen we alsnog een leuke avond hebben. Misschien komen we wel een paar leuke jongens tegen die ons op een drankje willen trakteren.'

Nancy stootte haar heup even aan met de hare. 'Ik dacht dat jij al een leuke jongen had.'

Hoewel Julia bloosde, brak er een glimlach door op haar gezicht. Ze voelde zich opgelucht, omdat de spanning tussen hen was verdwenen. 'Zullen we met een groepje gaan? Dat wordt leuk.'

'Ik weet het niet. Ik moet nog studeren.'

'Dan gaan we naar de bibliotheek, halen we daarna iets te eten en spreken we vanavond om halftien met iedereen af.' Dat tijdstip kwam niet helemaal uit de lucht vallen: Robin had beloofd dat hij haar om tien uur zou oppiepen. Als hij haar drie tweeën stuurde en dus niet kon komen, leek het haar fijn om in een drukke bar te zitten, waar ze het op een zuipen kon zetten en haar teleurstelling van zich af kon dansen.

Als hij haar drie enen stuurde, was ze alvast dicht bij zijn huis, dat ze de rest van de nacht tot hun beschikking hadden.

'Wat zeg je ervan?' vroeg Julia, want de meeste van haar vriendinnen waren eigenlijk Nancy's vriendinnen. 'Gezellig, toch?'

Nancy glimlachte. 'Ja, lijkt me te gek.'

21.46 uur – The Manhattan Café,
centrum van Athens, Georgia

Julia was dol op dansen, voornamelijk omdat ze er zo slecht in was. Iedereen vergaapte zich aan haar. Niet omdat ze aantrekkelijk was, maar omdat ze zichzelf voor schut zette.

Zoals haar vader over bijna al haar ex-vriendjes had gezegd: het is moeilijk om een hekel te hebben aan een dwaas.

'Heb je Top Gun daar al gezien?' Nancy knikte naar een minder knappe versie van Tom Cruise aan de bar.

Julia kneep haar ogen tot spleetjes om door de dichte mist van sigarettenrook heen te kunnen kijken. Hoewel het binnen erg warm was, droeg de man een bomberjack en een zonnebril.

'Sexy,' zei Julia, die zo goed mogelijk maat probeerde te houden. Haar danskunsten gingen er nooit op vooruit als ze probeerde om ondertussen een gesprek te voeren. Het was stervensdruk op de dansvloer. Er botsten telkens mensen tegen haar op, of misschien was zijzelf wel degene die tegen mensen op botste. Nadat ze een elleboogstoot tussen haar ribben had gekregen, had ze er eindelijk genoeg van en knikte ze naar Nancy dat ze moest meekomen naar de toiletten.

Er stond een enorme rij studenten, van wie de meeste nog minderjarig waren. Julia herkende het kattige meisje dat vanochtend Nancy's leren tas had geleend en Julia's sokken had afgekraakt. Alabama was duidelijk ladderzat. Ze stond te zwaaien op haar benen en wist nog net te voorkomen dat ze plat op haar gezicht viel. Niemand om haar heen schoot haar te hulp. Misschien had ze hun sokken ook wel afgekraakt.

'Jezus,' zei Nancy. 'Heb jezelf een beetje in de hand, zeg.'

Julia moest haar stem verheffen om boven de muziek uit te komen. 'Ken je haar?'

'Deanie Crowder.' Nancy rolde met haar ogen, alsof ze haar liever niet had gekend.

'Hopelijk is er iemand die haar naar huis kan brengen.' Julia voelde haar schelle stem in haar keel trillen. Jenny Loudermilk was alleen naar huis gegaan, en moest je zien wat er met haar gebeurd was.

'Waarom kijk je de hele tijd hoe laat het is?'

Julia keek op van haar horloge. 'Zomaar. Het lijkt gewoon later dan het is.' Haar pieper stond op de trilstand, maar toch keek ze erop.

'Verwacht je een telefoontje?'

'Sorry. Mijn jongste zusje moest vandaag nablijven.'

'Het Volmaakte Kind?'

'Ze valt best mee.' Julia klemde de pieper weer vast aan de

binnenkant van haar zak. Eigenlijk had ze Sweetpea even moeten bellen om te vragen hoe het met haar ging. En ze had strenger tegen Pepper moeten zijn over de drugs. Zij was immers de grote zus en het was haar taak om op hen te letten. Ze nam zich voor om dit weekend wat meer tijd met hen door te brengen. Misschien zou ze met Sweetpea naar Wuxtry Records kunnen gaan om een plaat te kopen. Als er verder niemand bij was, viel ze echt wel mee.

'Loop eens door!' riep iemand achter in de rij.

Ze schuifelden wat dichter naar de toiletten toe. In een grote spiegel zag ze zichzelf. Ze droeg een van Robins shirts, dat hij voor haar uit de wasmand had gepakt. Toen ze een hand naar haar hals bracht, voelde ze Peppers medaillon. De zilveren en zwarte armbanden schoven omlaag langs haar arm. Dit weekend zou ze het medaillon teruggeven. En de armbanden. En de strohoed, want die was toch van Pepper.

'Je ziet er geweldig uit,' merkte Nancy op. 'Nee, wacht, je bent *bie-joe-tie-foel.*'

Julia schoot in de lach om Nancy's imitatie van die kerel van de Taco Stand, die flirtte met elk meisje dat binnenkwam.

Daarop vroeg Nancy: 'En ik?'

'Jij bent ook bie-joe-tie-foel.'

Nancy zag er ook echt goed uit. Als Julia op Madonna leek, dan leek zij op Cyndi Lauper. Haar donkere haar was in pieken omhooggekamd, ze droeg een veelkleurig bolerojasje met een gouden bies en haar zwarte petticoat reikte tot vlak boven de knie. Door die leren laarzen met spikes erop zouden haar voeten inmiddels wel vreselijk pijn doen, maar de look was het waard.

'Mascara?' vroeg Nancy.

Julia controleerde de huid rondom haar ogen op vegen. 'Nee. Ik?'

'*Mahhvelous*,' gaf ze een perfecte imitatie van Billy Crystal ten beste.

De rij kwam eindelijk in beweging en Julia schoot het eerste hokje in. Net toen ze haar spijkerbroek losknoopte, voelde ze haar pieper trillen. Ze ging op de wc zitten en keek naar het plafond, en daarna naar de posters die op de deur van het hokje waren geplakt. Uiteindelijk pakte ze het apparaatje en drukte op de knop om het nummer te bekijken.

222.

Haar hart brak in een miljoen stukjes.

222.

Julia keek op en probeerde haar tranen te bedwingen. Ze snifte en telde langzaam tot honderd. Daarna keek ze nog een keer, want misschien had ze het verkeerd gezien.

222.

Robin kon niet wegkomen bij zijn ouders.

Of misschien kon hij wel wegkomen, maar wilde hij dat niet. Misschien was Julia vanmiddag wel vreselijk slecht geweest in bed. Misschien was ze saai. Misschien wist Robin dat ze geen orgasme had gekregen of was ze te luidruchtig klaargekomen, had ze te hard gehijgd of onnozel geklonken, of…

'O god!' kreunde iemand.

Daarna klonk het kenmerkende geluid van braaksel dat

in een toilet spetterde. Dat moest Alabama wel zijn, ofwel Deanie Crowder. Het klonk alsof er een eend door een tuba werd gezogen.

Julia hoorde Nancy kokhalzen. Als Nancy iemand hoorde kotsen, ging ze zelf ook over haar nek, al sinds een onfortuinlijk Thanksgivingdiner op de kleuterschool. Haar stilettohakken tikten op het beton terwijl ze zich de toiletruimte uit haastte.

In plaats van achter haar aan te gaan, leunde Julia achterover tegen het reservoir. Ze hield de pieper in haar hand, hopend dat hij weer zou trillen, dat ze op de knop zou drukken en drie enen zou zien staan. *Ja, ik kan wegkomen, kom alsjeblieft naar het huis van mijn ouders, want ik hou van je.*

Robin had haar nooit met zoveel woorden verteld dat hij van haar hield. Was het stom van haar geweest om met hem naar bed te gaan, terwijl hij niet eens had gezegd dat hij zijn hart aan haar had verloren?

Er bonkte iemand op de deur. 'Hé, er moeten nog meer mensen!'

Julia spoelde het toilet door, stond op en duwde de deur open. Nadat ze haar handen had gewassen ging ze bij de bar staan, zo dicht mogelijk bij Top Gun.

'Wil je iets drinken?' Van dichtbij leek hij meer op Goose, maar dat kon Julia op dat moment niks schelen.

Ze glimlachte liefjes. 'Ik ben dol op Moscow Mules.' Dat was niet waar, maar de cocktail van wodka, ginger ale en limoen kostte vierenhalve dollar, en je werd er een stuk sneller dronken van dan de Pabst Blue Ribbons van een dollar die ze bestelden als ze zelf moesten betalen.

'Je danst leuk,' merkte Top Gun op.

Julia sloeg haar drankje achterover. 'Kom maar mee, dan.'

Hij volgde haar de dansvloer op, waar hij een nog slechtere danser dan Julia bleek te zijn. Hij schuifelde van links naar rechts, hield zijn armen gebogen en knipte met zijn vingers. Soms keek hij omlaag en over zijn schouder, waardoor het leek alsof hij checkte of hij niet in hondenpoep had getrapt.

In elk geval ging Julia er helemaal voor. Ze stak haar armen in de lucht en wiegde met haar heupen toen C+C Music Factory iedereen opdroeg om te gaan dansen. Top Gun droop af op het moment dat 'Head to Toe' van Lisa Lisa werd ingezet. Julia deed haar ogen dicht en probeerde niet aan Robin te denken. Ze wist niet of hij graag danste. Misschien hield hij niet eens van Madonna en had hij dat alleen gezegd om haar uit de kleren te krijgen. Of misschien had hij het wel gezegd omdat hij echt van haar hield. Waarom had hij anders gezegd dat hij later een zoon wilde en in de bakkerij van zijn vader wilde gaan werken, als hij niet nadacht over zijn toekomst?

Misschien omdat hij geen toekomst met haar zag.

Opeens kon Julia al die mensen om zich heen niet meer verdragen, het was te druk op de dansvloer. Zo snel mogelijk baande ze zich een weg door de menigte. Haar tasje hing nog aan de barkruk. Ze rommelde tussen de tandenborstel, de haarborstel en het schone setje ondergoed die ze had ingepakt voor het geval dat ze vanavond niet terug zou keren naar het studentenhuis. Haar lipgloss voelde koud aan op haar lippen, want ze zweette en het was warm in de bar. Een oudere kerel had nog een Moscow Mule voor haar besteld. Het ijs was al gesmolten en de vloeistof was verkleurd van goud naar donkerbruin, maar toch dronk ze het glas leeg. De wodka voelde als een mokerslag in haar keel.

'Rustig aan, joh.' Nancy klopte Julia op de rug tot ze uitgehoest was. 'Gaat het wel?'

'Hoe laat is het?'

Nancy keek op Julia's horloge. 'Acht over halfelf.'

Ze had nog geen uur gedanst, maar het voelde als een eeuwigheid. 'Ik wil weg.'

'Wacht anders even tot elf uur, dan gaan we samen.'

'Nee, ik heb knallende koppijn.' Julia legde een hand tegen haar hoofd, dat inderdaad pijn deed.

'Je zei zelf dat we niet in ons eentje op pad moesten gaan,' merkte Nancy op.

'Dat geldt alleen als we dronken zijn, en dat ben ik niet.' Julia voelde zich wel een beetje licht in het hoofd, maar dat kwam vast door haar gebroken hart. 'Bedankt dat je bent meegegaan vanavond. Dat vond ik echt fijn. Jammer dat Michael Stipe niet is komen opdagen.'

'Dat had ik al niet echt verwacht.' Nancy keek haar aan alsof ze zich vreemd gedroeg. Misschien was dat ook wel zo. 'Weet je zeker dat alles in orde is?'

Julia zei: 'Ik hou van je, maatje. Je bent een goede vriendin.'

'Aw.' Nancy wreef nog eens over haar rug. 'Ik hou ook van jou, maatje.'

Julia pakte haar tasje van de barkruk. Op de dansvloer

barstte het nog steeds van de dansers, achterblijvers en studenten die morgenochtend, als de wekker ging, spijt zouden hebben van hun avondje uit. Godzijdank had Julia morgen geen college. Ze was van plan om naar huis te gaan, naar haar kamer in het huis aan Boulevard. Daar zou ze de hele dag mokkend rondhangen in haar pyjama, met de katten en honden knuffelen en naar soapseries kijken.

Ze duwde de zware metalen deur open en genoot intens van de avondlucht. Bij elke stap voelde ze haar longen opengaan als de blaadjes van een bloem. Haar hoofd tolde door de overvloed aan zuurstof. Met uitgestrekte armen liep ze over het verlaten trottoir, alsof ze de helderheid die de avond met zich meebracht omarmde.

Zoals haar grootmoeder waarschijnlijk zou zeggen: Julia moest zich niet zo aanstellen.

Robin Clark was lief, vriendelijk en zachtaardig. Ze vond het heerlijk om bij hem te zijn en misschien was ze zelfs verliefd op hem, maar haar wereld draaide niet alleen om hem.

Julia was negentien jaar oud. Ze stond op het punt om haar eerste voorpagina-artikel te schrijven en zou als een van de beste studenten van haar jaar afstuderen aan een van de beste journalistieke opleidingen in het land. Ze was gezond, had goede vrienden en een liefhebbende familie. In plaats van zich te gedragen als een onnozele tiener voor wie alles afhing van wat een jongen voor haar voelde, moest ze eens volwassen worden en naar de feiten kijken. Robin had contact met haar opgenomen om te laten weten dat hij niet kon komen. Als hij Julia aan de kant had willen zetten of als hij haar alleen voor de seks had gebruikt, zou hij niet naar de boswachtershut sluipen en het risico lopen dat zijn ouders kwaad zouden worden.

Toch?

Julia wist dat Robins vader dit kampeertripje uiterst serieus nam. Het was een jaarlijks terugkerende gebeurtenis: elk jaar sloot hij de bakkerij in de eerste week van maart en nam hij het hele gezin mee naar het bos, om tijd met hen door te kunnen brengen. Daar had Robin respect voor, omdat hij nou eenmaal een goede jongen was. Hij was zoals Julia's vader, zoals Mr Hannah, zoals David Conford en haar opa Ernie. Niet zoals Greg, Lionel of professor Edwards, die waarschijnlijk op dit moment tegen een nietsvermoedende studente zei dat hij haar essay graag grondiger zou willen doornemen onder het genot van een kop koffie, en of ze wist dat zijn appartement zich vlak tegenover de campus bevond.

Dat arme meisje. Waarschijnlijk was ze eerstejaars. Jong. Naïef. Greg had gezegd dat Jenny Loudermilk eerstejaars was. Tenminste, tot ze met haar studie was gestopt. Ze had over Broad Street gelopen en in een fractie van een seconde was haar leven op zijn kop gezet. Ze zou nooit meer dat meisje worden dat zorgeloos rondliep.

Zo zou het leven van tweeëntwintig vrouwen in Athens dit jaar veranderen. Net als volgend jaar. En het jaar daarna. Om nog maar te zwijgen van de jaren die hieraan voorafgegaan waren.

Het was een vreselijke gedachte dat het er voor jou statistisch gezien steeds beter uitzag, telkens wanneer er een vrouw werd verkracht. Belaagd. Aangevallen. Bedreigd. Net zoals de klok op Times Square die op oudejaarsavond aftelde.

Beatrice Oliver: nummer tweeëntwintig.

Jenny Loudermilk: nummer eenentwintig.

Mona No-Name: nummer twintig.

Wie zou nummer negentien worden? Een onoplettende, dronken eerstejaars? Het meisje dat aan de andere kant van de stad koffie ging drinken met professor Edwards? Deanie Crowder, die alles eruit had gekotst in de toiletten in de bar? Nancy zou wel met haar mee naar huis lopen, iemand moest haar thuisbrengen.

Julia struikelde over een kapotte stoeptegel. Opeens werd ze heel erg duizelig en voelde ze haar maag in opstand komen. Dat drankje. Misschien was de wodka niet meer goed geweest. Of de ginger ale, al vermoedde ze dat daar alleen de prik uit kon gaan. Daar werd je vast niet ziek van, maar zo voelde ze zich wel. Ze zette haar handen tegen de muur en voelde een golf warme vloeistof uit haar mond komen.

Julia sloeg haar handen voor haar gezicht. Er was iets mis. Ze probeerde zich te oriënteren. Haar ouders waren bij Harry Bissett's, een paar straten hiervandaan. Hoewel ze niet blij zouden zijn om haar zo te zien, zouden ze er kapot van zijn als ze erachter kwamen dat ze hulp nodig had gehad en geen beroep op hen had gedaan.

Ze sloeg een zijstraat in. Haar knieën knikten en ze ging tegen een stinkende vuilcontainer aan staan. De zijkant was volgeplakt met stickers. Phish. Poison. Stryker. Ze probeerde het straatnaambordje te lezen, maar zag alleen witte vlekken tegen een groene achtergrond.

Haar ouders konden niet ver weg zijn. Ze zette zich af van de vuilcontainer en probeerde zich te concentreren op de stoep voor haar. Elke stap kostte haar moeite. Even verderop moest ze tegen een oude Cadillac aan leunen om weer op adem te komen. Ze staarde naar de staartvinnen, die zo groot waren als surfplanken. Haar vader was dol op de Beach Boys. Een paar jaar geleden hadden ze *Still Cruisin'* voor hem gekocht met Kerstmis, waar hij veel blijer mee was geweest dan met het boek over ouderdom dat ze hem op zijn verjaardag hadden gegeven.

'Ben je verdwaald?'

Met een ruk draaide Julia zich om.

Er stond een zwart busje voor de Cadillac geparkeerd. Het zijportier was open en in de schaduw stond een man. Ze kende hem. Ze had zijn gezicht vaker gezien, meerdere keren zelfs. Vandaag? In het weekend? In het centrum? Op de campus? De informatie lag voor het grijpen, maar het lukte haar niet om het verband te leggen.

'Neem me niet kwalijk,' zei Julia, omdat ze het nou eenmaal gewend was om zich overal voor te verontschuldigen.

Hij stapte uit het busje.

Snel deed Julia een stap naar achteren, maar het voelde alsof de stoeptegels in zand waren veranderd.

De man liep op haar af.

'Alsjeblieft,' fluisterde ze.

Haar zusjes. Haar ouders. Robin. Nancy. Deanie. Beatrice Oliver. Jenny Loudermilk. Mona No-Name.

Uiteindelijk drukte hij geen hand tegen haar mond en geen mes op haar keel.

Hij sloeg haar gewoon in haar gezicht.

Julia Carroll: nummer negentien.

Noot van de auteur

Phish. Dat was op 1 maart, maar het is niet helemaal on-
denkbaar dat die gasten er nog steeds waren, toch? De cijfers die ik heb genoemd uit het Uniform Crime Reporting
Program (UCRP) van de FBI stammen in werkelijkheid uit
1991, het jaar waarin dit verhaal zich afspeelt. In 2013 is de
term gewelddadige verkrachting vervangen door verkrachting en is de definitie uitgebreid, al vallen ontucht met een
minderjarige en incest juridisch gezien nog steeds niet onder verkrachting. De Amerikaanse gezondheidsdienst CDC
schat in dat er van meer dan 80 procent van de zedendelic-
ten geen aangifte wordt gedaan. Volgens de gegevens van
Crime Clock werd er in 2013 in Amerika elke 6,6 minuut
een vrouw verkracht.